Para Rosi   con el
de que disfrutes y encuentres
motivos de reflexión.

27/VI/96.

LAS LEYES DEL MAL

En los años 30s y 40s muchos mexicanos (funcionarios, intelectuales, pueblo en general) fueron germanófilos, más por animadversión contra los Estados Unidos que por simpatía hacia Hitler, el nazismo y cuanto éstos representaban. Hubo sin embargo algunos sinceramente convencidos. La presente novela se inspira en hechos absolutamente verídicos y presenta con audacia y realismo acontecimientos dramáticos de aquella época, en los que se vieron involucrados importantísimos personajes de la vida pública de México.

Los datos históricos reseñados en la obra están documentados y relacionados en la bibliografía.
Los fenómenos espiritistas se basan en testimonios de algunos participantes y en los documentos de referencia.
Los personajes y el argumento de esta novela difieren de la realidad en que esta última es mucho más cruel.

El autor

LOS *LIBROS* HACEN
HERIBERTO FRÍAS 1104

EDAMEX

LIBRES A LOS HOMBRES
MÉXICO, D.F. 03100

LAS LEYES DEL MAL

Novela

*"Odiarás a tu prójimo
como a ti mismo"*

Natán Zachs B.

Ficha Bibliográfica:

Zachs B., Natán.
Las leyes del mal.
296 pág. De 14 x 21 cm.
Índice, bibliografía.
20. Literatura   20.7 Testimonio

ISBN-968-409-873-1

EDAMEX, Heriberto Frías 1104, Col. del Valle, México 03100. Tels. 559-8588. Fax: 575-0555 y 575-7035. Si llama de Estados Unidos, marque 525 antes del número.

Impreso y hecho en México con papel reciclado.
Printed and made in Mexico with recycled paper.

Miembro No. 40 de la Cámara Nacional de la Industria Editorial Mexicana.

Índice

Prólogo

Abril 1945.

Al final de la Segunda Guerra Mundial, la muerte violenta formaba parte de la rutina y costumbre de un mundo que se despedazaba a cambio del dominio y propiedad. Las víctimas convertidas en cifras se habían desprovisto del atributo de la desgracia: eran números, no personas.

En la medida en que se liberaban los campos de exterminio, se daban a conocer los horrores sufridos por millones de personas. Los grandes jefes del ejército nazi se suicidaban o adoptaban personalidades falsas para escapar.

Mientras la geografía del poder se acomodaba dentro del botín territorial de los vencedores; un grupo selecto de nazis, formado por maquillistas, cirujanos plásticos, científicos y expertos en finanzas, trabajaba en un plan de escape que pretendía perpetuar el poder hitleriano.

Esa masa anónima de especialistas no ocupó un papel importante en el conflicto bélico, libres de culpa, actuaban con libertad en cualquier país, inclusive en Alemania. Algunas células nazófilas diseminadas en América, Europa y los Países Árabes, se prepararon para recibir a los fugitivos y a proporcionarles lo necesario para mantener su proyecto de supervivencia y expansión. Los contactos mundiales estaban listos para acoger a grupos de inmigrados con documentos apócrifos. El plan de escape más grande de la historia se había activado en un planeta donde la población se redistribuía. Los asesinos adquirían una nueva cara; una identidad que les permitiría continuar con los propósitos originales del nazismo.

En el mes de abril se anunció la muerte del presidente de los Estados Unidos: Franklin Delano Roosevelt. Benito Mussolini fue ejecutado por los partisanos. Adolfo Hitler y Eva Braun se suicidaron. Miles de personas murieron de hambre. Diecinueve niños judíos utilizados en experimentos fueron ahorcados por la SS.

Al margen de estas noticias, algunos periódicos de la ciudad de México publicaron un reportaje donde se reseñaba el secuestro de tres mujeres y el asesinato de una de ellas.

El cadáver respondía al nombre de Leonor Marcos Cáceres, mujer de cuarenta y ocho años en cuyo cuerpo se descubrieron huellas de tortura y heridas múltiples en la zona genital. El informe del forense destacaba las lesiones producidas por quemaduras de cigarro, mordidas humanas y golpes. Además, la víctima había sido violada antes de morir asfixiada por estrangulamiento.

Víctor Cáceres Marcos, hijo único, identificó el cuerpo sacrificado de su madre. Horrorizado por la situación, urgió a la policía para que esclareciera el crimen.

Durante la investigación los móviles permanecieron ocultos. Los celos y los motivos económicos estaban descartados. La mujer se dedicaba a la literatura y gozaba de una situación holgada gracias a una herencia familiar. Carente de identidad religiosa, su vida era simple y con vínculos superficiales. Participaba en eventos culturales de un grupo de intelectuales, artistas y periodistas, unidos por su afinidad a la causa nazi.

Los detectives interrogaron exhaustivamente a las dos mujeres que sobrevivieron al secuestro. Se siguieron las pistas disponibles; se interrogó a muchos de los posibles involucrados sin obtener datos concluyentes ni hipótesis plausibles. Al cabo de dos años, las investigaciones policiacas fueron abandonadas.

Esta es la historia de lo que sucedió.

Capítulo uno

Todo será olvidado

Ciudad de México 9 de mayo de 1950.

Esa noche que parecía ser igual a cualquier noche, se instaló en la oscuridad de sus ojos cerrados el sueño de una voz que le decía: "algún día usted será olvidado, ni la tierra, ni el aire, ni los seres vivientes guardarán el mínimo recuerdo de su persona. Usted será olvidado por completo".

Víctor Cáceres, soñador accidental de voces y palabras, despertó y regresó a sí mismo. Su mundo inconsciente transformó las memorias desvalidas y fragmentadas de aquella noche en un presentimiento. Experimentó la necesidad de comunicarse con su madre, para ello, tenía que descubrir alguna forma de entrar en contacto con el mundo de los muertos.

Armado desde la infancia con un complejo engranaje racional, le irritaba aquello que no se ajustaba a su concepción cerebral de la vida. La supremacía del intelecto sobre las emociones era un principio que no admitía alternativas. Evitaba los presentimientos, a pesar de que no podía escapar de ellos.

Las vueltas del pensamiento de Víctor Cáceres –un hombre de veintiocho años, de buena presencia, alto, de tez castaña y educado con liberalidad– lo inquietaron durante la jornada. Sus hábitos automáticos le daban la seguridad necesaria para controlar sus emociones.

Por encima de los rigores de sus convicciones, Víctor se guiaba, en ocasiones, por los dictados de alguna corazonada. Se las arreglaba para anular los inconvenientes impuestos por su educación y amoldaba los prejuicios a sus intereses personales. Sus mecanismos racionales estaban preparados para sacar adelante los proyectos insensatos de su interior.

Elaboró una motivación aceptable como *la necesidad de investigar* y con ella obtuvo la justificación necesaria para presenciar un enlace con los *desencarnados*.

Los primeros informes que Víctor Cáceres tuvo de esos *"trabajos espiritistas"*, provinieron de pláticas entre sus sirvientes; de ellas se enteró que el hermano de la cocinera atraía a los espíritus de los difuntos.

Impulsado por la suma de sus inquietudes, pidió a Pablo, su chofer, que arreglara su participación en una sesión donde su pariente hacía las veces de médium.

Pablo aceptó la tarea sin objetar. Se dispuso a viajar con su hijo al centro de la ciudad para entrevistarse con su cuñado. Al llegar al Teatro Nacional se enfilaron hasta el interior para localizar al familiar, al ver a los miembros de la Orquesta Sinfónica ensayando segmentos de una obra, se sentaron en las butacas evitando hacerse notar.

Los sonidos de la orquesta impregnaron el espacio, recorrieron las paredes y rebotaron sobre ellas; se adueñaron de la soledad inanimada de los asientos vacíos y se rindieron ante su único público: un hombre ignorante y su hijo de cuatro años.

De imprevisto, el director lanzó un alarido para dar por terminado el ensayo. Los artistas agotados, apenas tenían fuerzas para levantarse de sus sillas y guardar sus instrumentos. Pablo se incorporó y con un ademán le indicó a Julio, su hijo, que lo siguiera.

Mientras el personal se alejaba con los instrumentos empacados, el portero vigilaba que el movimiento se llevara a cabo con apego estricto a las normas de la institución. A unos metros Pablo y su hijo permanecían quietos, hasta que en un giro involuntario el cuñado se percató de su presencia y los llamó.

Los dos respondieron con señas y se aproximaron a saludarlo. El tiempo de no verse acumuló el gusto por el encuentro. En medio de apretones y abrazos, el tío despeinó con cariño la cabellera del niño.

Luis Martínez era un hombre de apariencia sencilla: obeso, moreno, y de muy baja estatura, representaba los cincuenta y tres años que tenía. Más de la mitad de su vida se había ocupado como portero del Teatro Nacional de las Artes. Su educación formal no rebasaba los ciclos elementales de la primaria y se caracterizaba por tenacidad, terquedad, y orden. Conocía sus funciones a la perfección, igual que muchos detalles íntimos de artistas y personajes con los que, sin proponérselo, se había relacionado. Su apariencia común resultaba engañosa, en ese hombre se habían depositado ignoradas facultades que nadie entendía y, desde luego, él tampoco. Gozaba de una cualidad única que atraía a prominentes figuras del país. Entre el nutrido grupo que se reunía semanalmente para presenciar sus prodigios, se encontraban desde presidentes hasta eminentes científicos. A pesar de que con su habilidad podía enriquecerse, se rehusaba a comerciar con los fenómenos que producía.

El sorpresivo encuentro obligó a Pablo a tratar directamente el encargo del patrón. Le informó que don Víctor deseaba entrar en contacto con su madre. Luis le dijo que haría lo necesario para que lo recibieran en la sesión de esa misma noche y le advirtió que las apariciones no dependían de él.

Después de una breve conversación se despidieron. El tío le dio una moneda de veinte centavos al niño y a cambio recibió una sonrisa.

Recogieron el auto, un Oldsmobile de cuatro puertas, cuyo amplio interior representaba uno de los espacios móviles más lujosos del momento.

Una vez en la casa, Pablo subió hasta la recámara donde el señor lo esperaba con avidez. El chofer captó la urgencia y, sin abundar en detalles, le informó lo sucedido. El agradecimiento y la orden de alistarse para la noche no se hicieron esperar.

En esa casa Pablo cubría las funciones de chofer y jardinero. Su esposa, María Engracia, se ocupaba de la cocina y las labores de limpieza. Los dos pasaban de los cuarenta años y habían vivido dentro de una armonía monótona hasta la llegada de su único hijo. Este acontecimiento cambió las expectativas y conductas de la pareja convertida –tardíamente– en familia.

El patrón, un hombre tolerante, asumió por voluntad propia el cuidado de Julio, a quien no observaba como un hijo, pero tampoco como a un sirviente; lo había inscrito en uno de los colegios más prestigiados de la zona para que iniciara una sólida formación. Debido a esa actitud, Pablo se sentía obligado con él. La mansión Cáceres estaba situada en una zona residencial donde las construcciones se rodeaban de mil metros de jardines, las más, con cancha de frontón y alberca. La tranquilidad amplificaba la soledad de las casonas. Por la noche María Engracia despertó a Pablo para darle de cenar antes de que el patrón requiriera de sus servicios.

Pablo y Julio gustaban –en especial– de las meriendas. Preferencia habitual de los habitantes de la ciudad de México; donde cada noche principiaba el ritual antojero más variado, sabroso e indigesto de la geografía culinaria.

Pasadas las veinte horas sonó el timbre para indicar que el patrón estaba listo. Pablo salió por la puerta de servicio, cruzó el jardín y se detuvo al lado del Oldsmobile gris. Al ver llegar al señor Cáceres abrió la puerta trasera y esperó a que éste se instalara.

La noche estaba despejada, conductor y pasajero evitaron manifestar sus inquietudes; se concretaron a especular con sus propios pensamientos. Tras un breve lapso llegaron a la casa de los señores Alba. Pablo se detuvo en la puerta, esperó a que el patrón se apeara y estacionó el auto.

La residencia de los Alba, construida a principios de siglo, revelaba el estilo afrancesado de aquella época. El techo de teja, la fachada pintada en blanco y gris y el enorme jardín que la rodeaba, proyectaban elegancia, dinero y buen gusto. En el vano del pórtico uno de los sirvientes se hizo cargo de su sombrero y gabardina.

La inseguridad de Víctor Cáceres marchaba paralela a su agitación y curiosidad. Se enderezó y caminó decidido hacia el señor Rafael Alba, el anfitrión, quien después de darle la bienvenida lo acompañó hasta la sala donde ambos se mezclaron con los invitados.

Al centro de la habitación, dos hombres movían un señalador sobre un tablero con letras del alfabeto impresas en la superficie. Más tarde, Víctor se enteró que se trataba de la "ouija", una tabla utilizada para recibir y transmitir mensajes espirituales. Los dos individuos posaban sus manos sobre una guía triangular que se deslizaba con libertad; el movimiento, según la gente, lo provocaba un espíritu. El pequeño indicador, también de madera, señalaba letra por letra hasta formar palabras que se hilaban para responder a la cuestión que se planteaba.

Víctor se colocó por detrás de un sujeto que escribía cada una de las letras. Sus ojos oscilaban entre la acción y la lectura del primer mensaje:

–BENDITO SEA EL GANADOR.

–Gracias maestro. Respondió uno de los que movían el señalador.

–NO ES A TI.

–¿A quién te refieres?

–AL GANADOR QUE HOY LLEGA.

El movimiento se detuvo por un momento y la persona lanzó otra pregunta.

–¿Puedes ser más explícito maestro?

–LEONOR ESTÁ BIEN.

El grupo se alteró al no entender el mensaje. Víctor intentó controlar la repentina palidez que aparecía en su rostro. Esas palabras lo turbaron.

Las actividades del grupo se interrumpieron ante el anuncio de que el médium estaba listo. Los asistentes se dirigieron a un cuarto adyacente a la sala y se acomodaron sobre sillas dispuestas en forma circular. La ausencia de ventanas llamaba la atención; podría decirse que toda la ambientación resultaba extraña. En el suelo estaban dispersos una serie de artefactos: cajas de madera, juguetes e instrumentos musicales; todos ellos colocados con el propósito de impedir el cruce de cualquier persona. Al centro sobresalía una jarra de agua y un recipiente con nardos.

El médium se alejaba del mundo material a través de un sueño neutro y herético que, en breves momentos, abriría a los presentes una proyección de lo insólito, un acto de irreverencia a las leyes conocidas de la ciencia.

El señor Alba aguardó a que los participantes se alistaran para iniciar los trabajos. Víctor se sentía un tanto atemorizado, a pesar de que el ambiente inducía tranquilidad.

Una vez que estuvieron listos, el señor Alba se colocó frente a Luis, tocó el borde de sus párpados y masajeó sus sienes. El cuerpo perdió el tono muscular: su alma se apartaba. El esplendor y la fuerza de lo intangible empezaron a saturar la atmósfera. La luz se apagó y en las tinieblas los asistentes se tomaron de la mano.

La actividad principió a las 21:15 horas; los miembros siguieron las instrucciones de don Rafael Alba quién, al finalizar sus maniobras, musitó una oración para pedir protección. Después, el silencio se convirtió en expectación.

Apenas transcurridos unos cuantos minutos apareció una pequeña luz que vagaba en todas direcciones; de nuevo se escuchó al señor Alba proferir una plegaria y regresó la calma. Motivados por la proximidad del día de las madres, la mayoría de los asistentes esperaban verlas esa noche. Al cabo de unos minutos se empezaron a escuchar pequeños golpes sin poder definir el lugar de su procedencia.

Víctor Cáceres experimentó un aire fresco y perfumado sobre su cara. Su corazón se aceleró y sus sentidos se confundieron. Frente a todos surgió una luz que aumentó de intensidad hasta dar lugar a una forma humana. Al parecer se trataba de alguien conocido; varios de los presentes dijeron en voz alta: "Bienvenido Maestro del Castillo"[1]. El ser recorrió a los asistentes y desapareció.

Estos fenómenos ejercieron sobre Cáceres un efecto paradójico, en lugar de excitarlo lo calmaron. Sus reacciones físicas dejaron atrás las manifestaciones de emergencia y adquirió una posición más natural. De uno y otro lado de la habitación emergieron imágenes de seres femeninos.

–¡Mamá! Gritó el señor Bringas.

Y la imagen se aproximó para acariciarlo.

–¡Madre! Llamó el señor Guzmán a una de las apariciones.

–¡Mome!, exclamó la señora Lichtenberg, al reconocer a otra de las efigies.

Poco a poco los ectoplasmas de las madres se despidieron de sus hijos. Siguieron unos segundos de completa oscuridad, después, frente a los ojos de Víctor Cáceres se formó una figura.

–¿Le... Leonor?, preguntó Cáceres inseguro.

El ser asintió, haciéndose más claro y luminoso.

–¡Madre! ¡Ma...! Dijo vacilante hasta sentir de cerca el aire frío y perfumado que despedía la luz.

Pasaron unos segundos y Leonor fue sustituida por una forma mucho más poderosa que iluminaba el cuarto con gran brillantez .

–¡Bienvenida Patrona!, exclamó respetuoso el señor Alba.

---

[1] Referencia(3).

Con ese nombre los miembros del grupo reconocían a la madre del maestro del Castillo. El grupo se puso de pie en su honor y, a solicitud de otro de los asistentes, se elevaron pensamientos de pureza, paz y amor. El ser agradeció con inclinaciones al grupo y, después de elevarse hacia el techo, desapareció.

Al cabo de unos instantes el médium balbuceó agitado, nadie dijo nada hasta que Luis dio indicios de haber regresado; en ese momento el grupo emitió una bendición y se soltaron de las manos. La puerta se entreabrió para dejar pasar rayos de luz, poco más tarde, la lámpara de una sola bombilla se encendió.

Salieron rumbo al comedor donde les esperaba el tradicional banquete que los Alba ofrecían cada semana, como demostración de su desapego a las cosas materiales. Jamás requerían de los asistentes pago alguno.

—Doctor dijo el señor Alba dirigiéndose a uno de los asistentes—, nos hace el favor de redactar el acta.

—Desde luego don Rafael. Respondió un hombre joven disponiéndose a escribir en una libreta lo sucedido.

Víctor Cáceres deseaba irse y quedarse, la inquietud no había pasado y su silencio era parte del encierro en que vivían nuevos interrogantes. La inercia le hizo seguir al resto de la gente hacia la mesa y tomar un plato del magno buffet. Se sirvió un refrigerio y buscó un lugar alejado de la muchedumbre.

Al lado de Cáceres se acomodó un sujeto alto y robusto que le saludó con cortesía. Iniciaron una conversación exaltando la reciente experiencia. El desconocido hizo alarde de sus conocimientos y relató la magnificencia de los eventos que había presenciado durante el año que llevaba asistiendo.

—Mi nombre es Manuel Capuano.

–Víctor Cáceres para servirle.

Hicieron un paréntesis para comer. En ese intervalo el señor Capuano casi no despegó la vista de Cáceres; éste lo notó y comentó sus dudas sobre la legitimidad de las experiencias recién observadas.

–Este es el Instituto de Investigaciones Psíquicas[2] su único propósito es el estudio.

–Resulta increíble que no cobren nada y además brinden una cena tan basta. ¿No habrá otra clase de intereses?

–No. En este lugar sólo los valores espirituales tienen sentido.

Desde la sala una voz solicitó la presencia de los asistentes para firmar el acta; los dos hombres se levantaron para acudir al llamado. Capuano detuvo del brazo a Cáceres y le preguntó: ¿es usted a quién se le presentó Leonor?

Víctor desconcertado respondió afirmativamente.

–Ahora comprendo. Usted es el ganador al que se refería la tabla.

–Explíquese por favor, dijo Víctor sin aceptar.

–Más tarde lo haré. Dígame: ¿es usted el hijo de Leonor Marcos?

–Sí. ¿Acaso la conoció?, preguntó Cáceres sorprendido.

–Tuve esa fortuna. Fue una mujer maravillosa. –Vamos –señaló hacía adelante–, nos esperan en la sala.

Caminaron para reunirse con el resto del grupo y escuchar la lectura del acta. La actividad revistió características formales. Se leyó una relación cronológica de lo ocurrido y al terminar los asistentes firmaron el documento[3].

---

[2] La sesión fue reconstruida de acuerdo a los anales de este Instituto.
[3] Estas actas aún se conservan (ver referencias 2, 3).

La gente empezó a retirarse, Víctor Cáceres agradeció al anfitrión sus atenciones y recibió a cambio, una invitación para la siguiente semana. Enseguida buscó a Manuel Capuano para despedirse. Después de varias vueltas pidió ayuda al mayordomo sin éxito. Regresó a la sala y preguntó al señor Alba.

–Ignoro de quien se trata. Respondió don Rafael con gentileza.

–El mismo me informó que asiste con regularidad.

–Ese nombre no me es familiar.

Cáceres tomó el libro de actas y revisó cada una de las firmas. La mayoría resultaron ilegibles y no distinguió la rúbrica que rastreaba. Cerró la libreta y salió rumbo a su auto.

El ambiente había enfriado y la lluvia se anunciaba. Víctor temía a las pulmonías que provocan los chubascos. Desde pequeño, vestía con ropa interior de lana, bufanda y sombrero. Apresurado, localizó con la vista a Pablo y le hizo señas para que se acercara. En un santiamén viajaban de regreso.

Acomodado en el asiento trasero, el patrón preguntó a Pablo si sabía de que se trataban estos trabajos.

–Si señor. En mi pueblo dicen: "a los muertos hay que dejarlos en paz". Y yo prefiero dejarlos así: en paz.

Los últimos acontecimientos bullían en la mente de Cáceres como una gama de sensaciones y pensamientos que lo acosaban. Dos cosas, entre tantas que habían ocurrido esa noche, revestían una particular importancia. Por una parte su madre era la única que le llamaba *ganador* y, por la otra, la escultura de ectoplasma[4] que pretendía ser ella carecía de rasgos identificables. Esos eventos fueron suficientes para remover su plataforma de creencias y recuerdos.

---

[4] Substancia que desprende el médium.

Las meditaciones acortaron la sensación del tiempo durante el viaje de vuelta. Al llegar a su recámara, Víctor ignoraba que el acoso de lo vivido le cobraría una buena parte de su sueño.

Pablo entró con cautela a su cuarto. Descubrió a María Engracia dormida al lado de Julio. Ambos eran el sentido, el ahora y el mañana de su vida.

Esa noche Pablo estaba inquieto, no soportaba la combinación de lo desconocido con lo prohibido. No alcanzaba a distinguir entre la fe y la superstición, además, no deseaba cambiar su realidad, ni apostar su vida a cambio de un manojo de verdades. Entrada la noche cada uno durmió a expensas de sus propias fábulas, dieron por hecho que el día siguiente sería igual a todos.

Estaban equivocados.

Capítulo dos

El mal es el camino corto
para obtener un beneficio

10 de mayo de 1950

Las leyes del mal señalan que lo que se quiere olvidar cobra venganza durante el sueño, tal vez por ello, Víctor despertó desorientado. Para él, como para casi todos los hombres de vigilia estable, el reposo nocturno se conecta con las fieras cifradas del interior; imágenes incoherentes que emergen para dominar los archivos empolvados de nuestra mala memoria.

Cáceres activó el timbre que tenía al lado de su cama para pedir que le subieran el desayuno, a los pocos minutos apareció María Engracia con el periódico y una charola con pan tostado; café caliente y fruta. Víctor salió del baño envuelto en una toalla y, fiel a los dictados de sus costumbres, se dispuso a tomar los alimentos mientras leía las novedades del día.

Las noticias de la carrera panamericana ocupaban la primera plana del diario; las hazañas automovilísticas constituían el espectacular de ocho columnas. En otro sitio se reseñaban los problemas de los trabajadores de la industria eléctrica que, para evitar una huelga, solicitaban la intervención del presidente Miguel Alemán. Un buen número de anuncios comerciales exaltaban la importancia del día de la madre.

El teléfono sonó. Se trataba de Manuel Capuano quien le ofrecía disculpas por no haberse despedido y lo invitaba a tomar una copa. Víctor no tuvo oportunidad de dudar y concertó una cita para el día siguiente en el restaurante Pep's. Después de colgar hizo a un lado el resto del desayuno, el apetito, antes escaso, ahora le faltaba por completo. Se vistió y se dispuso a viajar al trabajo.

En la cocina María Engracia preparaba la comida mientras Pablo podaba los rosales en el jardín, en cuanto notó la presencia del patrón, se colocó una chaqueta y alistó el auto. Viajaron hacia el extremo norte de la ciudad para llegar a la "Compañía Industrial Mueblera del Centro"; empresa fundada por Cáceres y especializada en la fabricación de muebles de oficina. Poco a poco, lo que fuera un pequeño taller, se convirtió en una industria con setenta empleados que abastecía de escritorios, sillas, libreros y archiveros, a una gran parte de las oficinas de la ciudad. Los productos sobresalían por su calidad, motivo de orgullo para Víctor, cuyo perfeccionismo le impulsaba a revisar cada partida antes de embarcarla.

El vigilante de la empresa, Reinaldo Suárez, era un viejo que había trabajado con la familia durante veinte años y que se dirigía al patrón con familiaridad. En esta ocasión le avisó que guardaba un ramo de flores para ofrecerlos en recuerdo de su madre. Víctor le agradeció y acordaron viajar juntos al panteón.

Se encaminó a su oficina para estudiar el estado financiero. A las once en punto le sirvieron su imprescindible taza de café y después de ejecutar ciertas tareas administrativas recorrió las plantas de producción. Le complacía trabajar entre cizallas, tornos, y troqueles; su gusto por la mecánica ponía a prueba su inteligencia e ingenio. Muchos de los artículos de la empresa los había diseñado y mejorado el mismo.

A media mañana, junto con Pablo y Reinaldo, emprendió un viaje hacía el panteón. Su sentir combinaba el desconsuelo, la decepción y el coraje.

El recorrido transcurrió en silencio. Nada logró distraer a Víctor de las evocaciones del pasado. Los tres conocían los hechos y los recordaron, lo sucedido les exigió un regreso a un mundo donde el dolor y la repugnancia se amalgamaban. Cualquier cosa que tuviera que ver con Leonor, revivía eventos punzantes imposibles de acallar.

Una vez en el camposanto, avanzaron con rapidez hasta una lápida donde el césped lateral crecía sin que nadie se ocupara de arreglarlo. Reinaldo se adelantó y depositó las flores encima de la cubierta de mármol; Víctor leyó en voz alta el nombre inscrito en la lápida: "*Leonor Marcos de Cáceres*". Después de un breve silencio recitó un verso que ella solía repetir: "*Llenos de vanidad/llenos de insolencia/creemos que podemos evitar/el punto extremo de la vida*".

Pablo y Reinaldo sintieron nostalgia, vivieron y compartieron la historia de horror que llevó a esa mujer a una tumba cabada antes de tiempo, a un adiós inesperado y brutal.

–¡No merecía acabar de esa manera!–, expresó Cáceres en voz alta.

Pablo experimentaba una opresión en el pecho y no pudo decir nada. Lo sucedido también alteró su vida y la de María Engracia. Entre las evocaciones de la derrota y la nada, agradeció al cielo tener a su mujer con vida. Súbitamente compartieron la urgencia de alejarse, de borrar de sus vidas aquel abril de 1945.

–¡Vámonos, vámonos rápido–!, ordenó Cáceres.

Caminaron presurosos sin poner atención al camino, subieron al auto y emprendieron la huida inútil de sí mismos.

Una vez en la oficina Cáceres no contestó llamadas ni recibió gente. Su gran escritorio de caoba tenía en la superficie un portaplumas de madera con dos *Sheaffers* y un tintero; algunas hojas de papel estaban colocadas en una de las esquinas. Bajo el vidrio biselado se apreciaba una fotografía de sus padres, los miró, y su reloj interior giró en retroceso.

Pasadas las cuatro de la tarde se aprontó para acudir a la cita con Capuano. Obsesivo en el cumplimiento de sus compromisos, se exigía una estricta puntualidad. Pablo se incorporó con agilidad, abrió la portezuela y anticipó la prisa. Más tardó en arrancar el motor que en dejar una estela de polvo tras de sí.

Llegaron antes de las cinco. Víctor optó por esperar en el interior del café; a esa hora las mesas se ocupaban con bebedores de cerveza y parejas dispersas. Seleccionó un sitio desde donde alcanzaba observar quienes entraban y salían.

El restaurante carecía de lujos, apenas unos espejos y percheros colgaban en las paredes; las mesas y sillas reproducían el ambiente de un café parisino. Los manteles blancos y las servilletas de mascota roja completaban el cuadro sugestivo de una atmósfera europea.

Un vendedor de periódicos recorrió las mesas, Víctor adquirió El Vespertino con el deseo de distraer su mente ociosa durante ese compás de espera. Repasó algunas noticias sobre Perón en Argentina y las actividades de Truman en los Estados Unidos; ninguna le interesó. En una de las páginas interiores, al lado de un anuncio donde un almacén ofrecía camisas de popelina a diez pesos, encontró una nota sobre el violinista Isaac Stern que recién había ofrecido un concierto en la capital el pasado día cuatro; leyó con interés y lamentó no haber asistido al evento.

Cáceres miró de nuevo el reloj, pasaban tres minutos de las cinco. Leyó las noticias sobre la carrera panamericana, los comentaristas admiraban la línea y la potencia del Cadillac, cuyas descripciones elogiosas se acercaban al fetichismo.

Enfrascado en la lectura no se percató de la llegada de Capuano. Una frase de saludo interrumpió el continuo de su distracción. Cáceres guardó el periódico. Ese sujeto de apariencia común, tenía algo extraño, difícil de definir. Fijó su atención en espera de que él iniciara la conversación. El silencio del desconocido regresó la iniciativa a Cáceres.

Víctor le dio a entender, con cierta aspereza, que se encontraba desconcertado. Capuano se mostró comprensivo y ofreció despejar las incógnitas más adelante. Llamó al mesero y ordenó un plato de carnes frías y dos cervezas.

La plática partió de la previa experiencia espiritista, y en forma natural, penetraron en el tema. Ambos exhibieron su curiosidad y la necesidad de encontrar una explicación aceptable para aquellos prodigios que, lejos de la ciencia, abrían diferentes perspectivas al engaño y a la verdad.

–Estoy convencido de que esos fenómenos merecen un estudio serio –comentó Capuano. –Lo que hemos visto está al alcance de apenas unos cuantos. –Lo reducido del grupo y su naturaleza heterogénea, impiden realizar una investigación sistemática. –A los trabajos, como usted se dio cuenta, asisten individuos de alto nivel. Aquí han estado el señor presidente de la República, secretarios de Estado, cónsules y embajadores. En ningún caso hicieron referencia a un timo o a un acto de circo, quien no opinó a favor, tampoco contradijo. –Mire, hace tiempo estuvo presente el famoso padre Heredia[1]. Ese fiel cristiano ha desenmascarado a cientos de charlatanes, incluso, ha publicado la forma en que estos realizan, mediante artimañas, las comunicaciones con seres espirituales[2]. Invitado a estos mismos trabajos, el padre estuvo presente en una de las sesiones, al ver que se trataba de un evento serio, firmó una de las actas[3] sin mencionar la existencia de trucos o componendas.

–La mayor parte de los testigos que menciona –intervino Cáceres– son brillantes en sus áreas de influencia y acción; pero ninguno, excepto el padre Heredia, está capacitado para determinar o entender lo que ahí sucede. Se trata de un desafío a los sentidos, a la inteligencia y a una gran parte de cuanto sabemos.

–Recuerde que estamos llenos de prejuicios y preconcepciones. Las universidades no se ocupan de estudiar estas prácticas; situación que dificulta una opinión fundamentada científicamente. Estoy de acuerdo que la gente de letras o los políticos no pue-

---

[1] Referencias (3, 10).
[2] Referencia (10).
[3] Referencia (2).

den calificar esos eventos con imparcialidad. Pero, ¿qué me dice del rector de la universidad, del director de la facultad de ciencias, físicos y matemáticos que han asentado sus opiniones en las actas del Instituto?[4] En estos casos no se trata de un defensor de la fe o de ingenuos a los que se les engaña fácilmente, le menciono a prominentes científicos.

Cáceres hizo un gesto mudo al no poder refutar los argumentos.

–En ese lugar nadie trafica con influencias ni hace proselitismo, se respetan las creencias y no se fomenta una religión; se estudian los hechos y, si eso fuera poco, considere que no se cobra ni se aceptan donativos. No se venden talismanes, ni se engancha a la gente para actividades dudosas. El médium, *Luisito*, como le llamamos, es un hombre ignorante, inculto, con un temperamento inestable, que no vive a expensas de sus facultades haciéndose pasar por mago o chamán.

Cáceres le informó que estaba al tanto de los antecedentes de Luis y que tenía tratos con una parte de su familia. Capuano no pudo disimular su sorpresa y le pidió mayores detalles.

–Una de sus hermanas se encuentra a mi servicio.

Capuano reaccionó con inquietud y bebió su cerveza hasta el fondo. Víctor percibió su cambio de conducta sin explicarse el motivo.

En el plato de carnes frías menudeaban unas tiras de jamón serrano; el mesero rondaba en espera de un nuevo pedido. Ordenaron un café expreso y siguieron la conversación.

Víctor Cáceres había escuchado con detalle y recelo a su acompañante, quien aún parecía ocultar algo.

---

[4] En el apéndice de la referencia (3) aparece una lista parcial de los asistentes.

Ante su duda creciente comentó que el señor Alba había negado conocerle. Capuano cambio de posición, las palabras de Cáceres lo tomaron por sorpresa, reaccionó con aturdimiento echando su cuerpo hacia atrás. Víctor le exigió claridad y honestidad. Capuano respondió que se trataba de un asunto complicado, bebió su café y se dispuso a continuar.

–Hace años tuve tratos con su madre, la señora Leonor Marcos. Al escuchar su nombre en la sesión pasada su recuerdo me impactó y me sentí impulsado a hablarle. Debido a las condiciones en que usted se encontraba, no creí prudente referirme a ella en ese lugar.

–No veo la necesidad de cambiar su nombre.

–¿Acaso su madre nunca le menciono a Manuel Capuano?

–No que yo recuerde. Dijo Cáceres interesado.

–La conocí en las oficinas de la editorial donde publicaban sus obras. Armando Zúñiga nos introdujo. Yo les vendía papel y tintas.

Cáceres reconoció de inmediato el nombre del impresor y se redujo a poner atención.

–Después de la presentación –continuó Capuano–, me interesé en ella y leí sus libros de poemas. Quise volver a verla y acudí con frecuencia a la casa editora, donde la fortuna nos colocó en el mismo camino. Al verla de nuevo, alabé su obra y recité uno de sus versos. Me invitó a una inolvidable velada literaria en su casa. ¿Todavía vive en el mismo lugar?

Cáceres asintió. Capuano subió ambos codos a la mesa, entrelazó sus dedos y, después de fijar la vista en su compañero, siguió la narración.

–La recuerdo como una mujer encantadora. Su exquisita sensibilidad de ninguna manera podía confundirse con debilidad, por el contrario, proyectaba una apariencia independiente y enérgica. Aunque nuestra amistad nunca excedió los límites de breves charlas, un día me atreví a solicitarle un favor. Capuano calló por unos segundos tratando de crear un instante de expectación. Al poseer por completo la atención de su compañero, continuó.

—Mi afición a las letras no se limitó a la lectura, sino que intenté escribir una colección de poemas. Usted se reirá al ver en este hombre de aspecto rudo la sombra de un poeta.

Cáceres sonrió.

—En un cuaderno empastado —siguió Capuano— escribí una serie de versos, poemas y pensamientos. Movido por la curiosidad, le pedí que los revisara y me diera una opinión; primero se mostró sorprendida y después se ofreció a examinar el material. Se llevó la libreta y fijamos una cita para el mes siguiente.

Esperé treinta días para escuchar sus impresiones sobre mis escritos. Me dirigí con Zúñiga para preguntar por ella y fue ahí mismo donde me enteré del crimen. Compré los periódicos, no pude creerlo. Me rehusé a saber más, perdí el interés por la poesía y me alejé de la editorial.

El relato hizo que Cáceres cambiara su actitud rígida por otra de mayor comprensión. La conversación abundó en detalles interesantes, pero la duda respecto a la identidad del sujeto persistió; Cáceres quiso interrumpir pero su compañero le pidió paciencia. La insistencia, al fin, obligó la explicación de Capuano.

—La libreta de poemas que entregué a Leonor la firmé con el seudónimo de "Manuel Capuano"; nombre de un antiguo amigo que supuse usted reconocería.

–¿Cuál es su verdadero nombre?

–Llámeme Heinz. El relato dejó un ambiente de confianza entre los dos; parecía que al desvelar el misterio ambos habían estrechado su relación. Comieron y bebieron en paz. Heinz pidió la cuenta, Cáceres no le permitió pagar; se levantaron y salieron del café. En la calle, antes de despedirse, Heinz reinició una breve conversación.

–Espero haber resuelto sus dudas. Cáceres asintió.

–Quisiera pedirle que si encuentra mi libreta me lo notifique. Podrá suponer–con toda razón–que el contenido sólo tiene interés para mí; en esos versos se encuentra mi personalidad romántica a la que siempre rendí una total discreción. Le pido que, en honor a mi privacidad, se abstenga de leerla.

–Sí la veo se la entregaré tal y como la encuentre.

–Es negra.

–¿Qué?

–La libreta.

–En cuanto la tenga en mis manos le avisaré. –¿A dónde puedo llamarle?

–Vivo en el Hotel Suiza, lugar difícil de comunicarse. Es preferible que yo lo busque dentro de unas semanas.

Ambos marcharon en dirección opuesta. Cáceres deseaba descansar y abrir un paréntesis de tranquilidad. Heinz, por su parte, recobró la expresión rígida y severa que marcaba su rostro cuando no fingía.

Cubierto por el benigno clima de la temporada, mayo y sus días se sucedieron. La reciente adquisición de dudas alteró la vida de Víctor Cáceres, un hombre sistemático, bien organizado, a quien trastornaba cualquier desviación de la rutina; ahora, lo inesperado le obligaba a conciliar los eventos de su vida para hacerla predecible y segura.

Sus inclinaciones perfeccionistas cristalizaron mientras estudiaba la carrera de ingeniería; en ella aprendió a evitar las preconcepciones y, por lo tanto, los prejuicios. Debido a su formación científica se negaba a dejarse guiar por la intuición.

Ubicado en su recámara Víctor Cáceres se transfiguró. Sin darse cuenta los espectros de sí mismo empezaron a poseerlo; la exhumación del pasado tiene su costo; las nuevas compulsiones fertilizaron la semilla de locura que llevaba dentro. Inició una búsqueda. Sacó las cajas que permanecían intactas desde la desaparición de su madre, no tenía un propósito definido, Manuel Capuano y su libreta negra eran su pretexto, en realidad sus partes arcaicas pretendían revivir a su madre.

Extrajo con cuidado fajos de papel y fotografías, separó los documentos relacionados con ella; descubrió fechas, nombres de lugares y de gente. A final de cuentas le sucedió lo mismo que a los perseguidores de nada, encontró todo y, aún así, no pudo descubrir lo que buscaba. Guardó de nuevo los papeles en su sitio y procedió a escudriñar otros archivos.

La tarea de revisar y releer lo manuscrito se convirtió en una actividad febril; a las once de la noche trató de ser más ordenado. Dos horas de infructuosa labor lo cansaron; se aflojó la corbata y desabotonó la camisa.

Por alguna razón, que el mismo ignoraba, sentía la necesidad de localizar alguna referencia sobre Capuano y Heinz. Siguió, hasta que vencido por el sueño se abandonó a las fuerzas de su cuerpo.

Al otro día, María Engracia se impacientó al ver que se hacía tarde y el señor no pedía el desayuno; subió hasta la recámara y llamó a la puerta con el objeto de cerciorarse del buen estado de las cosas. Tocó con la suavidad de sus nudillos; al no recibir respuesta, volvió a intentarlo con mayor intensidad. Escuchar la voz pastosa del señor la tranquilizó.

Alrededor de las diez de la mañana se presentó el patrón en la cocina; María Engracia le llevó jugo y panecillos a la mesa. Bebió el contenido del vaso y no tocó lo demás, salió de prisa con la ilusión de recuperar el tiempo perdido.

Pablo arrancó el motor y se dirigió al trabajo. Apenas recorridas unas cuadras, Cáceres le ordenó cambiar la dirección hacia el centro de la ciudad. El flujo de autos, camiones, y tranvías, provocaba una gran lentitud; a pesar de los obstáculos avanzaron. Cruzaron la plaza central y en unos segundos estaban en las afueras de la Editorial Zúñiga.

Cáceres caminó por la acera dispareja hasta un zaguán de madera, cuyo tallado casi se había perdido por el paso de los siglos; la construcción edificada a base de piedras grises y rojizas mostraba varias centurias de antigüedad.

Atendido por uno de los Zúñiga, Cáceres se presentó como el hijo de Leonor Marcos y pidió hablar con don Armando. El señor le notificó que había muerto dos años antes víctima de las complicaciones producidas por un accidente automovilístico.

De esa entrevista Víctor obtuvo los datos de una compañía papelera, ubicada en Guadalajara, en la que trabajaba Manuel Capuano. Antes de despedirse le suplicó al joven que lo atendía informarle de todo lo relacionado con Capuano o con Leonor Marcos para su próxima visita.

Una vez en su oficina Cáceres ansiaba obtener un antídoto contra la incertidumbre. Encerrado en su despacho trató de llamar a Guadalajara, las líneas saturadas impidieron la comunicación. El resto de la jornada se ocupó en el departamento de embarques de su fábrica; verificó los pedidos y llamó al cobrador para que le reportara los ingresos. Mientras revisaba largas filas de números su secretaria le pasó una llamada de la Editorial Zúniga.

–Señor Cáceres, creo tener algo interesante. Mi hermano me recordó que tenemos algunos manuscritos y originales de su madre que están a su entera disposición.

–No sabe cuanto se lo agradezco –respondió Cáceres. –¿Sería posible entrevistarme con su hermano?

–Viene a pagar los sábados por la mañana; si llega después de las diez lo encontrará desocupado.

Colgaron. Cáceres se dedicó a resumir y analizar los datos. Lanzó su cuerpo contra el respaldo, cerró los ojos, y trató de ignorar los ruidos de las máquinas del taller. Recordó la faz sonriente de su madre, luego, fue asaltado por la figura desdibujada de su cuerpo estragado y listo para la autopsia. El dictamen fue tácito, preciso: "Crimen intencional".

Las tensiones sumadas a los presentimientos formaron un cuadro sombrío en su interior. De su mente brotaron, sin control, imágenes difusas que revelaban la mayor tragedia de su vida: el asesinato de su madre. Acontecimiento del cual nunca se averiguó el quién, ni el por qué, pero que lo acompañaba durante ataques alternos de pasado y de conciencia.

Cáceres asumía que el encuentro con el supuesto Capuano había sido provocado, además, el sujeto le inspiraba cierto temor. Heinz daba la impresión de acechar, de mentir, de fingir; no podía probarlo, eran sensaciones emanadas de lo incomprensible, reacciones que no controlaba.

Cáceres distinguía en el lenguaje ambiguo de las intervenciones de Heinz una doble intención, suficiente para hacer germinar sospechas indefinidas y ominosas.

Capítulo tres

El pecado no existe

Jueves 18 de mayo de 1950

Una llamada tempranera agitó a María Engracia quien se apresuró a contestar el teléfono, de inmediato reconoció la voz de la señorita Alejandra, amiga del señor Cáceres. El saludo, además de cordial, desencadenó una plática informal salpicada de buen humor. Al terminar su charla, María Engracia la comunicó con el patrón.

Víctor tomó la bocina. Tras un saludo entusiasta, ella le recordó que tenían más de dos meses de no verse. El culpó al trabajo y al ajetreo y después acordó una cita para el día siguiente.

La rutina, que todo lo hace parecer igual, saturó las horas de la jornada. Alrededor de las ocho de la noche

Pablo conducía a Cáceres a casa de los Alba. Al llegar a su destino, don Rafael lo recibió con muestras de cortesía; situación que le provocó un profundo deseo de corresponder.

El ambiente estaba aromatizado con incienso, emanación que disgustaba a Cáceres. Dejó su gabardina con el mayordomo y entró hasta la sala donde un grupo trabajaba con la *"ouija"*.

Su timidez podía pasar por discreción. En honor al mimetismo social se dedicó a contemplar las maniobras que se ejecutaban sobre la tabla. Uno de los que manejaba la ouija se reportó cansado y solicitó que se le reemplazara; un voluntario lo sustituyó. Al principio el movimiento del apuntador empezó débil, recorría de un lado al otro el abecedario impreso. A pesar de que nada parecía digno de ser tomado en cuenta, un sujeto registraba cada letra en un cuaderno. Cuando los participantes suplicaron *al hermano* que fuera más preciso se formó una palabra: "escriban". Siguieron durante un largo instante el movimiento disparatado, cuando de pronto se configuró una palabra clara para el grupo, pero que para Cáceres revistió un significado especial: "GANADOR".

Al finalizar el mensaje, el señalador retrocedió hasta salirse de los límites de la ouija. –"Se ha ido, quien sabe que habrá querido decir"–, comentó uno de los testigos.

Una vez disuelto el grupo, Cáceres solicitó el cuaderno y copió cada una de las letras del dictado. Guardó el papel en su bolsillo y pasó a reunirse con el resto del grupo en la cámara oscura, lugar donde se iniciarían en breve los trabajos de materialización.

El silencio imperaba. Luisito, el médium, dormía vigilado por el señor Alba. En el piso habían diversos objetos, entre los que destacaban tambores y cajas de música; sobre la mesa del centro se posaba un florero con tres rosas, cada una de diferente color, a su lado había una jarra de agua cristalina.

El círculo de energía, compuesto por los asistentes tomados de la mano, esperó más de veinte minutos antes de que aparecieran las primeras señales de luz, gradualmente surgió una nebulosa amorfa que recorrió de cerca a cada uno de los participantes dejando tras de sí una estela de aire fresco. La nube se detuvo al centro del cuarto y de ella salió una mano para tomar una de las rosas. Después la depositó sobre las piernas del general Tapia; quien agradeció el aporte en voz alta. El ente se expandió hacia arriba y abajo para transformarse en un ser femenino; momentos más tarde, se alcanzó a percibir el sollozo del general que repetía emocionado: "gracias, gracias, gracias"[1].

La oscuridad regresó por unos segundos y en medio del silencio se escucharon tres golpes sobre la mesa, algunos dijeron en desorden: –"Bienvenido maestro del Castillo"[2]– una figura se llenó de luz hasta convertirse en un poderoso destello, después desapareció y quedó en su lugar el maestro Amajur, guía espiritual y protector del grupo[3].

El maestro se dirigió en dirección del doctor Ocaranza. Con trazos enérgicos de luz le tocó el corazón, después saturó el agua de la jarra. Algunos de los participantes utilizaban ese líquido como bálsamo.

En unos minutos la sesión se dio por terminada. Los invitados pasaron a servirse del buffet que, una vez más, ofrecía las delicias de la alta cocina. Víctor evitó

---

[1] El contenido de esta sesión está inspirado en un relato de la referencia (3).
[2] Al maestro del Castillo se le consideraba como un ser de alta espiritualidad.
[3] Algunos grupos siguen utilizando al maestro Amajur como guía de sesiones similares.

hacer preguntas, se limitó a los comentarios superficiales que se dan entre desconocidos que comparten la misma experiencia. Por otra parte, experimentaba cierta complacencia por la ausencia del señor Heinz. Una vez que Víctor terminó de comer aguardó al cierre del acta, la firmó y se despidió después de agradecer al anfitrión su hospitalidad. Salió con calma y, junto con Pablo, regresó a casa.

A la noche apacible siguieron las urgencias de la mañana. El curso de los acontecimientos daba la impresión de que la vida no cambia, que transcurre estable dentro del flujo de una repetición continua. Obligado por el juego de las reglas y las excepciones, Víctor comunicó a María Engracia que por la noche vendría la señorita Alejandra a cenar, esa excepción provocó la respuesta efusiva de María Engracia, a quien se le encomendó la preparación de la merienda.

Alejandra y María Engracia eran dos personajes carentes de afinidad y semejanza, por donde quiera que se las viera nada tenían en común. Sin embargo, la historia se encargó de unirlas mediante la desgracia y la adversidad, sucesos que permiten que dos seres, diferentes en su totalidad, coexistan y se identifiquen entre sí como recurso de salvación. Sólo aquellos que al enfrentar la muerte han compartido esos instantes con otros, saben que la relación se fortalece y el interés por sobrevivir domina. La unión de las dos mujeres nació de un parto singular, donde el peligro hizo las veces de comadrona.

Hacia las siete de la noche Cáceres regresó a su casa, se acicaló para recibir a Alejandra, mujer con la que le unían muchas cosas, entre ellas, el deseo perdido de casarse.

El timbre sonó alrededor de las ocho; Alejandra y su hija de cuatro años entraron con seguridad y alegría.

La niña vestía de blanco, su pelo lacio resbalaba por su espalda, a pesar de que un moño intentaba sujetarlo. Los dos adultos se saludaron, abrazaron, y besaron. Sobraron elogios para ella y para la niña; estaban encantados interrumpiendo el tedio de las noches iguales. Se dirigieron al antecomedor para cenar, cuando María Engracia se presentó y Alejandra se levantó para besar su mejilla; gesto al que ella correspondió enrojeciendo. Durante la comida, Alejandra platicaba sobre su nuevo trabajo como compradora del "Palacio de las Modas".

Cáceres le pidió que se explayara sobre sus actividades. Ella, con su desenvoltura característica, detalló su variada labor al frente del departamento de damas.

–Los días se me van sin sentirlos.

–¿Te molesta sentir el paso de los días?

Alejandra cambió su expresión y dijo: –"la cena está deliciosa".

Coincidieron en que María Engracia tenía un toque peculiar que realzaba el sabor, aún de lo más sencillo. Hablaron de la habilidad prematura para leer de Elsa.

–"Todas las noches duerme acompañada de un libro"– dijo Alejandra orgullosa.

–¿Y no pregunta?

–Siempre pregunta.

–Para ti debe ser difícil.

–Muy difícil. A veces tengo la sensación de que presiente la verdad; que no se ha creído lo que le he dicho de su padre. Cada vez exige mayores explicaciones. Llega un momento en que no se qué decirle.

Incómoda por la dirección que tomaba la plática; Alejandra al no ver a su hija se levantó a buscarla. La cocina estaba desierta, se dirigió al cuarto de sirvientes y la vio sentada con Julio tratando de leer un cuento. La escena la enterneció y preocupó, por un momento no dijo nada, los vio juntos sin notar sus diferencias; podían, incluso, parecer hermanos. Esa idea la angustió. Reaccionó rápidamente y, con tono autoritario, le ordenó a Elsa que la acompañara.

Regresaron al comedor donde Víctor las esperaba con un regalo para la niña. Ordenados sobre la mesa se encontraban seis gruesos tomos de *El libro de oro de los niños*. La niña alcanzó uno de los volúmenes y lo abrió al azar; en esas páginas descubrió dibujos coloreados que despertaron su interés.

Al ver a Elsa concentrada en las páginas del libro, Alejandra le urgió que demostrara su habilidad para la lectura. A los pocos segundos, comprobaron que la niña leía las frases con una deliciosa lentitud y torpeza. Cáceres alabó su habilidad y la pequeña se apenó.

Alejandra después de mirar su reloj empezó a despedirse. Víctor, siguiendo un propósito interno, la invitó al teatro.

–Estrenaron "El cuadrante de la soledad" de José Revueltas. Diego Rivera hizo la escenografía. ¿Te gustaría ir?

Alejandra aceptó gustosa, su única limitación era la niña. Víctor solucionó el problema al proponerle que la dejara en su casa al cuidado de los sirvientes.

Los sábados Víctor se quedaba más tiempo en cama, tomaba el desayuno en su cuarto y leía con detenimiento el periódico. En su columna, V. Alba[4] escribía que una espiritista checoslovaca pronosticó la caída del régimen comunista en los siguientes años. El gobierno, al enterarse, prohibió esas actividades y castigó a la supuesta adivina con trabajos forzados. La

[4] Excélsior, mayo 20, 1950.

sección de noticias hacía referencia a la inversión extranjera y a los esfuerzos por industrializar el país; en otras páginas se reseñaban las actividades de Eva Perón en Argentina. Una pequeña nota discutía la propuesta de Bertrand Russell para el premio Nobel de literatura. En los espectáculos se exaltaban las características únicas de la cantante María Callas que, el martes siguiente, daría un concierto en la ciudad.

Leyó un par de notas más y se bañó. Antes de vestirse con un nuevo traje, colocó sobre una mesa el contenido de las bolsas del saco y el pantalón del día anterior. Apiló monedas de diferentes denominaciones y encimó papeles diversos al lado de su cartera. Empezó a revisar cada cosa. Desdobló con cuidado las hojas hasta toparse con la más arrugada de todas, al ver escritas letras saltadas y sin sentido, reconoció el mensaje dirigido a "el ganador" de la última sesión espiritista.

Trató de armar una frase comprensible. Leyó con cuidado y repetidamente cada una de las letras. Pensó que se trataba de otro idioma o de un orden alterado. Sus primeros intentos por encontrar coherencia fracasaron. Se sentó en una silla frente a la mesa, tomó su pluma fuente "Sterbroock" y empezó a acomodar las letras en diferentes maneras:

MEASNTUAEVLIVO GANADOR.

Después de un largo lapso descubrió que el conjunto sugería la palabra MANUEL, comprobó que podía obtener el nombre mencionado al alterar la secuencia. Sacó del grupo las letras que formaban parte del nombre, entonces, la emoción le traicionó al ver el mensaje recién formado:

MANUEL ESTÁ VIVO GANADOR.

La información recibida, por un medio tan inusual, lo condujo a que las dudas lo acosaran de nuevo. Se enfrascó en una serie de conjeturas, incluso, que los ahí reunidos estuviesen coludidos para emboscarlo. Situación absurda.

Por ahora debía investigar, buscar la libreta negra para comprobar la exactitud de la historia de Heinz. Miró su reloj, era demasiado tarde para ir a la imprenta de Zúñiga. Se preparó para revisar cajones y sitios donde su madre guardaba documentos. Anticipaba la ardua labor y el tiempo que le consumiría; los rincones donde se acumulaban papeles abundaban en la casa.

Se acercó al enorme ropero de tres puertas donde estaban acomodadas diversas cosas de la familia. Empezó a sacar y a separar aquello que consideraba relevante; dejó un cúmulo de fotografías y documentos sobre la mesa.

Examinó impresos sueltos, cuadernos, y algunas facturas. Entre los legajos encontró manuscritos de poemas, dedicatorias, gacetillas recortadas y galeras de imprenta. Leyó poemas y acotaciones marginales escritas por su madre. A las tres de la tarde no había terminado con el material que, fuera de recuerdos, no le ofreció indicio alguno.

Fatigado, bajó a comer y a despejar su mente. Al terminar el último platillo, avisó a María Engracia que por la noche traería a Elsa para que la cuidaran.

Regresó a su cuarto con el propósito de continuar la búsqueda. Al cabo de horas de abrumadora labor terminó sin pistas y frustrado regresó los documentos a su lugar y, con ellos, el caudal impreso de su memoria familiar.

Se dirigió al estudio para revisar el escritorio que acostumbraba usar su madre; en él guardaba la mayoría de sus papeles personales. Su primer impulso le indujo a vaciarlo. Durante horas revisó uno a uno los documentos, al final, descubrió que estaba en el mismo sitio que al principio.

Faltaba poco tiempo para acudir a su cita con Alejandra. Se arregló con rapidez y salió con Pablo a recogerla. A la hora convenida presionaba el timbre del departamento, después de unos minutos, al verla salir, una incómoda reacción de hormonas amenazaron su compostura. Su franca sonrisa reflejaba gozo; la niña se arrojó a los brazos de Víctor y se besaron. Tras un breve lapso dejaron a Elsa al cuidado de los sirvientes y se dirigieron al teatro solos.

Sentados en cómodas butacas aguardaron el inicio de la función. A las ocho en punto se anunció la tercera llamada, el telón se descorrió dejando ante sus ojos el escenario diseñado por el pintor más importante del país: Diego Rivera.

Mientras tanto, en la mansión Cáceres, Julio, un chico acostumbrado a la compañía de adultos, disfrutaba jugando con Elsa sin que las fronteras impuestas por su condición social funcionaran como impedimento. Pablo y su mujer se contagiaban de la algarabía de las criaturas.

—Míralos —dijo Pablo—, parece que se conocen de toda la vida.

María Engracia preguntó a Pablo con reservas:

—¿Crees que lo sabrán algún día?

—No me salgas con tus cosas —respondió Pablo enojado—lo que habrá de venir... vendrá. ¿O no?

—Pues sí. Dijo María Engracia ante la lógica contundente de su marido.

La función de teatro terminó a las diez de la noche y la pareja se dirigió al café de los Azulejos para cenar. Durante el camino discutieron los planteamientos de la obra, de ese tema pasaron a comentar el milagro de la televisión que recién se anunciaba. Afirmaron que dicho invento sería una diversión sólo para ricos; el excesivo costo de esos aparatos impediría a la gente pobre poseer un televisor en su casa.

Víctor estacionó el auto sobre la calle de Madero y entraron a la cafetería; la gente volteaba a verlos. La figura de Alejandra se hacía notar. Ella, sin ser una mujer bonita, tenía desplantes de galanura que atraían a quienes la rodeaban, esos mismos desplantes enamoraron a Víctor alguna vez. El azar se encargó de obstaculizar la relación cuando ella se enteró de su embarazo; en ese momento rompió con Víctor. Ambos permanecieron solteros e intocables dentro de una amistad prácticamente *aséptica*.

Se acomodaron en una de las mesas más alejadas del restaurante para sentirse en mayor intimidad. Entre los dos prevalecía una atmósfera impregnada de atracción, de esa atracción que no requiere de declaraciones verbales para existir, pero que de alguna manera inobjetable se siente.

Entre Víctor y Alejandra existía un acuerdo explícito de separación, una lejanía pactada por ambos en un momento de su historia. Esa noche, los dos se atraían y forzaban la distancia entre uno y otro.

Ahora, los dos están juntos, los dos se atraen, los dos niegan la vigencia de su amor en honor a la parte más lógica de su estupidez. Tal vez piensan que para acortar distancias y acercarse, es necesario librar antes el combate de aceptarse. Tienen que vencer primero las ficciones del "encantamiento", donde cada uno enseña la porción más perfecta de su ser, o sea, su parte más falsa.

Cáceres inició la conversación internándose en terrenos seguros y preguntó: –"¿Cuánto llevas en ese trabajo?"

–Menos de un año. Suficiente para aprender lo referente al *comercio de la arrogancia.*

–¿A qué te refieres? Preguntó sorprendido.

–A las tendencias de la moda, a la administración de la altivez y a las superficiales relaciones humanas.

–Suena... interesante. Dijo, por añadir elocuencia a su callado asombro.

–Aunque la mayoría de los hombres desdeñan esas trivialidades, hay cosas que vale la pena conocer. Te voy a hablar de la moda, del *"Pret a Porter".* Este año los diseñadores se han confabulado contra la tristeza de los cuarentas. Los franceses quieren hacer renacer el lujo, obligarnos a olvidar la guerra; como si regresar a la buena vida fuera lo primordial.

–Los pensadores contemporáneos –interrumpió Cáceres– como Sartre o Camus, no muestran el optimismo al que te refieres.

–No hablo de filosofía ni de letras, recuerda que estoy... ¿Cómo decirte?... en el departamento de la vanidad, de esa vanidad que ensalza lo superfluo de la vida.

–También lo inútil.

–Puede ser. ¿Por qué no? La vanidad es el cosmético del vivir –dijo Alejandra desafiante–. Yo sé que las cosas podrían funcionar sin decoración, pero la historia no sería la misma, por algo, el hombre de todas las latitudes se las arregla para lucir diferente.

–Supongo que eso se lo debemos a la moda. Intervino Cáceres sarcástico.

–En parte. La moda uniforma los tiempos, las épocas; envuelve el acontecer. O, acaso, ¿puedes imaginar al hombre de las cavernas sin su indumentaria? ¿A la nobleza sin pelucas y polizones?

–No lo pensé así –reconoció Cáceres. –Siempre la consideré como una simple frivolidad.

–Escogiste la palabra adecuada; por un momento pensé que ibas a reducirlo a un *jugoso negocio*. Que sin duda lo es. Déjame hablarte del máximo exponente de esta tendencia: Christian Dior, el genio creador de la revolución del lujo, el movimiento que estamos a punto de vivir. Imagínate, acaba de presentar un vestido plisado.

–No veo lo excepcional.

–Se trata de un plisado hecho con catorce metros de tela.

–¡Catorce metros! –explotó Víctor.

Alejandra soltó una carcajada y asintió.

–Tengo entendido que escasea la tela en París. Para muchos de los que han vivido una época de racionamiento es *un insulto*.

–Todas las revoluciones, en un principio, *son un insulto*, ofenden a muchos. Aún más, si miras el mundo bajo la óptica del sufrimiento humano, entonces la moda es una aberración, una extensión de las peores cualidades del ser humano.

–¿Cómo cuales?

–El narcicismo y la presunción podrían ser. Sin embargo, la moda va más allá, es un distintivo del hombre. La ropa juega su papel en la sociología, la psicología y la economía. Y si las cosas cambian, ¿por qué no nuestro aspecto?

–¿Pero catorce metros? Me parece ridículo. Objetó .

–Sin querer descubres otra de las facetas de la moda.

–¿Cuál?, preguntó Cáceres perplejo.

–"El ridículo". Uno de los conceptos más despreciados, más mal comprendidos y al que no se le da la importancia que tiene. El ridículo es una necesidad y una característica del hombre.

Cáceres se redujo en su asiento con una expresión de mayor incredulidad.

—Hacer el ridículo —continuó Alejandra—, es muchas veces un acto heroico (Cáceres contuvo su risa), desde lanzarse a preguntar algo obvio en público, hasta sugerir una transformación que la mayoría considera imposible. Ten en cuenta que muchas de las propuestas de cambio en una sociedad o en un individuo suenan ridículas: lo sean o no.

—¿Por ejemplo?

—Hacer que las mujeres dejen de usar sostén y ligueros (Cáceres volvió a sonreír), o que algún día lleves en tus bolsillos una sumadora.

La carcajada de Cáceres irrumpió espontánea y luego preguntó: —"¿De que tamaño van a ser los bolsillos de los trajes?"

—Me da gusto que te rías, con ello me demuestras dos cosas: una, que lo que acabo de decir te suena ridículo. Alejandra hizo una pausa.

—¿Y la otra?, preguntó curioso.

—Que tienes poca imaginación. —Las innovaciones de la moda primero parecen ridículas, exhibicionistas, y fatuas. Más tarde se transforman en "*Chic's*", y cuando se generalizan, representan el *gusto popular*; que, entre otras cosas, mueve la economía.

La profundidad de los comentarios de Alejandra merecían reflexionarse; Cáceres se mantuvo atento.

—Es verdad que en los cafés de París —continuó Alejandra—, los intelectuales hablan del existencialismo y que Sartre muestra el desaliento del quehacer cotidiano, nos dice que *los otros son el infierno*[5] pero la mayoría de la gente quiere vivir lo mejor posible, evitar problemas, y la moda...

---

[5] Sartre Jean Paul, *A puerta cerrada*, pp 135 Ed. Alianza Lozada Mex, 1991.

–...y la moda hace a la gente aceptable y feliz, completó Cáceres.

–La hace más visible, convierte a las personas en *gente del momento*. Tan sólo mira a las jóvenes estrenar una prenda, en ese instante son diferentes, se salen de su cotidianeidad y de su aspecto, se disfrutan a sí mismas.

–Si acepto lo que afirmas, los que no siguen la moda resultan anacrónicos o desleales a su época.

–Eso te lo hace creer la sociedad en que vives. En una economía de consumo la moda es en primer lugar un comercio, como lo es la fe, la educación y el automóvil. Recuerda que en nuestro medio casi todo se puede convertir en un negocio, así se trate de política, arte o ciencia.

–¿Y los que no siguen la moda?, como los existencialistas y los pobres.

–Los existencialistas tampoco escapan a la moda, crean la suya propia, una moda que los distingue dentro y fuera de su grupo.

–¿Y los pobres?

–No he pensado en ellos.

–Son miles de millones. ¿Y tú no has pensado en ellos? Agregó Cáceres en tono de reproche.

–Los pobres son un error del sistema, no de la moda.

–Te has hecho más inteligente; eres rápida y buena para responder.

–¿No se te hace que exiges demasiado de una compradora de modas? Refutó Alejandra, durante un ataque pasajero de humildad.

–Después de tu estupenda exposición no cabe modestia alguna.

–Si he de ser sincera o casi cínica, como quieras calificarlo, eso que llamaste modestia es mi forma de salirme por la tangente y de evitar una cuestión que no quiero tratar.

Cáceres conocía la gallardía educada de Alejandra, en realidad, no sólo la conocía, sino que la admiraba. Sabía que cuando ella quería ser cínica lo hacía sin remilgos. La experiencia había enseñado a Víctor a descubrir en su cinismo lo auténtico y lo sincero. Una actitud que elimina lo solemne y que pone a prueba la inteligencia.

La mesera les trajo la cuenta. Cáceres sacó un billete de diez pesos y pagó en la caja. De ahí regresaron a la casa. Pasaban de las doce, demasiado tarde para llevarse a la niña de regreso, Víctor le ofreció quedarse. Ella aceptó.

La mansión casi vacía y llena de recámaras, ofrecía suficiente espacio para que Alejandra escogiera donde dormir; ella prefirió quedarse al lado de su hija. Víctor reprimió sus deseos y se sometió caballeroso.

¿Qué podría sucederle si, tan solo una vez, se olvidara de los buenos modales y la cordura? La pregunta dio vueltas en su cabeza, sin salir de ella.

Al otro día desayunaron juntos Alejandra, Elsa, y Víctor. El café con leche y el pan de dulce convirtieron el momento en un fragmento de felicidad; los vasos y la charola quedaron vacíos. Después abordaron el auto rumbo a la casa de Alejandra. En medio del viaje, Cáceres la invitó al próximo recital de María Callas, no hubo objeción y pactaron su encuentro.

Víctor aprovechó el viaje para preguntarle si sabía algo de Manuel Capuano y de Heinz. Ella respondió que nunca había escuchado esos nombres.

Al quedarse solo, el pensamiento de Cáceres se hizo circular, regresó al asesinato de su madre. Recordó aquello que con tanto esfuerzo intentó convertir en olvido, estaba consciente que tenía que resolver los "por qués", antes que los "quiénes"; había adquirido un compromiso de conciencia.

Las deudas de conciencia de Cáceres le obligaron a urgar en su interior las respuestas que ahí no estaban. Gradualmente se ahogaba en su desesperación. Indagaba, sin caer en la cuenta de que la solución estaba en otra parte, lejos de su mente, lejos de su lógica, entre lo obvio y lo insospechado.

De pronto pensó en la moda, en el vestido de catorce metros de tela, en las cinturas avispadas y en los senos de Alejandra. Algo no marchaba del todo bien, traicionaba los buenos modales y la cordura por una ligereza momentánea.

¿Ligereza momentánea? Así podía calificar aquello que se había prohibido y que ahora desafiaba con el deseo. Sin embargo, la elección entre los senos de Alejandra y dejar a un lado el aparato moral incrustado en sus glándulas, no deja de ser un planteamiento difícil.

Estaba angustiado y perdido. De la desesperanza pasó a la búsqueda de sí mismo, sin saber que la exasperación conduce, por necesidad, al encuentro con más dudas.

Eligió, como casi siempre sucede, una mala ocasión para buscar su identidad. Para esa tarea no hay mejor momento que el ocio, de él se desprende, en forma natural, la filosofía personal que, a su vez, nos surte de suficientes incertidumbres frescas.

Cuando la suma de instrospecciones pasaron a un segundo plano, Víctor recordó al policía responsable de la investigación del crimen de su madre; se trataba de un hombre honesto y profesional. Esa noche de dudas desesperadas, decidió entrevistarse nuevamente con el agente Juan Carrasco.

Se colocó frente al teléfono dispuesto a llamarlo. Antes de marcar, recordó que era domingo; tenía que esperar hasta mañana.

Capítulo cuatro

Cuando el mal se organiza crea la burocracia

Al sur de la ciudad donde los campos verdes lidian con montes escarpados de lava, una casa rodeada de extensos jardines y un cultivo de alfalfa sobresalía entre el valle y las altas montañas. Un par de caballos pastaban con libertad, mientras, en el interior, dos hombres discutían asuntos de trabajo.

–Cometiste un error al abordar a ese tipo –decía el rubio sin llegar a la furia. –Si tanto te preocupaba, hubieras ordenado que lo vigilaran.

–No Klaus, te equivocas. Tú no sabes lo que puede suceder en esas sesiones. La fe nada tiene que ver, los hechos resultan contundentes.

–¡Pamplinas! Cada vez eres más estúpido y más débil. Crees en cualquier cosa que ves y te olvidas que las ilusiones ópticas pueden reproducirse sin dificultad.

–Recuerda las prácticas de nuestra hermandad. No soy el único que comparte el deseo de entrar en contacto con esas fuerzas.

–No sigas, ya escuché demasiadas veces ese argumento.

–No le restes importancia. ¿Cómo explicas que se presentó su madre para bendecirlo?

–Trucos, artificios, actos de circo.

–No, no. El no es un hombre fácil de manejar.

–Todos los hombres son manipulables.

–¿Pero quién de esos *creyentes* querría manipular a un desconocido como Víctor Cáceres? ¿Con qué objeto?

–Resulta inútil razonar contigo Heinz, abandonemos este asunto. No me parece productivo.

–Si ese hombre asiste a las sesiones o, peor aún, si organiza una sesión privada y su madre, desde el más allá, le dice lo que sucedió, nos puede meter en aprietos.

–Mi querido Heinz –dijo el rubio en un tono entre burlón y paternal. –¡Por favor! Si algo le dicen esos fantasmas, ¿quién le creerá? ¡Nadie! Lo tomarán por un loco.

Los dos rieron, tomaron cerveza, y volvieron a poner un disco de marchas militares. Pasaban de las once de la noche, la luna iluminaba el correr libre de los caballos en el jardín.

Hacia la madrugada la música había terminado y los hombres ebrios dormían sin que nada molestara su conciencia, como suele suceder con quien cumple con su deber.

La mañana de lunes inauguró un día cuyo sol presagiaba intenso calor, la tortura de la temperatura no disuadió a Cáceres de usar el cuello almidonado y la corbata. Levantado antes que de costumbre, ordenó a Pablo que lo llevara a las oficinas de la policía judicial. El chofer disimuló la sorpresa y reprimió su curiosidad; manejó con habilidad hasta llegar a la dirección solicitada.

Víctor bajó del auto y caminó entre grupos de gente que entraba y salía del edificio; percibió el olor acre de la muchedumbre enclaustrada. Localizó en el tercer piso la sección de detectives y subió por las escaleras hasta la zona de informes. Interrogó suplicante a una señorita sobre el paradero del detective Juan Carrasco. La mujer contestó con evasivas que no lo desalentaron. Después de una serie de cuestionamientos, la empleada recurrió al recurso liberador de la burocracia: lo envió a otro departamento. Le sugirió bajar al segundo nivel y consultar con el jefe de guardia; Cáceres agradeció con propiedad y siguió las instrucciones.

Llegó hasta un mostrador vacío donde esperó el paso de los minutos más largos del día. La lentitud, patrona protectora de los burócratas, apadrinaba el caminar de un hombre obeso y mal encarado que se aproximaba. Ante la imposibilidad de evadirse, el sujeto se dispuso a atenderlo.

—Busco a un detective. Dijo Cáceres con voz suplicante.

—Suba al tercer nivel, ahí le informan.

—Vengo de ese lugar.

—¿Ya fue al quinto piso?

El empleado estaba dispuesto a recorrer las oficinas necesarias con tal de deshacerse de Cáceres.

—Mire —Víctor subió el tono de voz—, ya conozco el inmueble, sólo necesito información.

—Informes está en la planta baja.

Saturado por los pretextos, Víctor le ofreció una buena suma a cambio de su cooperación. El hombre reaccionó mejor dispuesto al ver que sus esfuerzos se verían compensados con un ciudadano satisfecho. Víctor le dio los datos de la persona que buscaba y el servidor público le pidió que lo esperara mientras revisaba el archivo.

Cáceres se sentó en una de las viejas sillas de madera, escuchó, al acomodarse, un crujido amenazador que lo persuadió de mantenerse de pie. Después de media hora el sujeto regresó con un fajo de documentos entre sus manos. Le indicó con señas que lo siguiera. Cáceres pasó al interior de la oficina hasta un escritorio de pino del que apenas quedaban rastros de barniz. Se acomodaron uno al lado del otro y hojearon en orden los papeles.

El empleado le informó que el detective Carrasco había renunciado años atrás al ser retirado de un caso. Cáceres copió el domicilio en una hoja suelta y agradeció –con cincuenta pesos– el servicio prestado.

Al llegar a su oficina Víctor se ocupó de los quehaceres administrativos; revisó los pedidos para la Defensa y corrigió los nuevos diseños de archiveros metálicos. Aprobó ciertas modificaciones a los planos de unos muebles y atendió a un grupo de proveedores que le traían muestras de materias primas. Su habilidad negociadora aumentó su crédito a ocho meses, en lugar de los seis que usualmente le concedían.

Por la tarde Cáceres abordó su auto y le dio a Pablo la dirección de una calle desconocida. Por veinte minutos siguieron instrucciones de transeúntes hasta que localizaron el lugar preciso. Cáceres tocó la puerta y una anciana entreabrió.

Víctor se anunció como un amigo de Juan Carrasco. La mujer le dijo cortante que ya no vivía allí y se comportó renuente a seguir una conversación. La inflexibilidad tuvo que ser vencida por dos billetes de diez pesos.

En el interior de la casa, la anciana parecía ser lo más nuevo del ambiente, los muebles, los cuadros y la duela del suelo, mostraban indicios de tener más de un siglo. La dama se colocó los espejuelos y hojeó una libreta donde figuraba la fecha del último pago de Juan Carrasco: enero del cuarenta y ocho. Lo inútil del dato indujo nuevas preguntas cuyas respuestas resultaron decepcionantes. Finalmente la mujer lo remitió a una fonda cercana donde Carrasco solía desayunar. Víctor se levantó, agradeció con cortesía y se retiró frustrado.

Localizó el cafetín sin dificultad, se trataba de un lugar modesto que en sus afueras exhibía una vitrina con pasteles. Al entrar al establecimiento captó de un vistazo el interior; se sentó frente a la barra y ordenó un café con leche y bizcochos.

Al interrogar a uno de los meseros obtuvo informes sobre el detective. Éste le comentó que Carrasco había terminado la carrera de medicina y que tenía un consultorio en una colonia aledaña al centro. Buscó la dirección del médico entre unos papeles y se la proporcionó a Cáceres, quien dudó en un principio que hablaran de la misma persona, empero, al oír la descripción y confirmar que ésta coincidía con la imagen que recordaba, experimentó cierta confianza. Terminó su café y agregó un billete grande al pago de su cuenta.

Poco antes de las ocho de la noche la mente inestable de Cáceres lo instigó a seguir sin descanso y ordenó a Pablo que lo llevara al consultorio de Carrasco en la calle de Libertad. Siguieron una serie de instrucciones y en menos de diez minutos transitaban por un callejón angosto y quebrado, donde sobresalía una marquesina de luz anunciando al teatro Tívoli. Los números de las casas no seguían orden alguno complicando la localización. En la calle privaba un ambiente oscuro y mortecino. Bajaron del coche para pedir ayuda, al llegar a la taquilla del teatro se les acercó un individuo de facha amenazante que, casi en secreto, les ofreció *fotografías sólo para hombres.*

El insistente vendedor mostró ante sus ojos parte de la sugerente mercancía, esperaba que los clientes, vencidos por la tentación, le compraran su muestrario.

–Cómpreme la colección –insistió el vendedor–, tiene más de treinta *posiciones francesas.* Tras su sonrisa dejó ver los huecos de la dentadura.

–No me interesa, contestó Cáceres.

–Se ve que usted desea algo de más categoría –dijo el vendedor y agregó–, aquí las tiene –de su bolsa extrajo una caja con naipes. –Barajas internacionales, una modelo diferente en cada una y completamente *en cueros.*

–No gracias.

–A esto no me va a poder decir que no –de otra de sus bolsas sacó un tubo de cristal con pastillas e inició su cantaleta. –*Yoimbina,* pastillas para que ninguna, pero ninguna mujer, le diga que no *a sus más bajas intenciones.*

–No. ¡No me interesa!

El vendedor sin darse por vencido agregó.

–Además, le voy a regalar los mejores chistes rojos en cualquier compra. ¿Qué me dice?

–¿Cuánto cuestan?

–Su precio en Europa es de cincuenta y cinco dólares, aquí, el paquete puede ser suyo por cinco pesetes.

–Le doy dos pesos si me lleva al consultorio del doctor Carrasco.

Ante la oferta, el vendedor guardó en sus bolsas la mercancía, adquirió un postura natural y les pidió que le siguieran. Caminaron hasta una casa con rejas de metal y les dijo: "aquí vive el único matasanos del rumbo". Cáceres sacó los dos pesos y se los dio.

Entraron hasta una modesta sala donde dos letreros colgaban de la pared, en uno decía: "consulta tres pesos", en el otro: "doctor Juan Carrasco, Universidad de México".

Una señora de aspecto humilde con una niña envuelta en un rebozo esperaba la consulta. Cáceres y Pablo aguardaron a que alguien saliera a recibirlos.

Víctor tomó de la mesa de centro una revista y se enfrascó en la lectura sobre el transporte aéreo, después de leer dos páginas, la puerta se abrió y salió una mujer madura con un anciano; el doctor le indicó a la paciente que era su turno; a los dos caballeros les avisó que serían los siguientes.

Tras ese reencuentro visual entre Cáceres y Carrasco no se estableció un contacto claro; actuaron como si fuera la primera vez que se veían. Pablo, además de no explicarse lo que sucedía, se sentía incómodo en ese lugar al lado del patrón.

Pasadas las once de la noche el médico los dejó entrar, Cáceres reaccionó disparado, intentó cazar la mirada del médico y le pidió a Pablo que lo dejara solo.

El consultorio era modesto y limpio. Un escritorio, tres sillas, la mesa de exploración y una vitrina llena de instrumentos formaban el mobiliario. En las paredes se apreciaban diplomas alineados en torno al título expedido por la Universidad Nacional. Cáceres se acomodó frente al escritorio. El doctor sacó unos papeles para iniciar el cuestionario clínico y le preguntó su nombre.

–No me reconoce ¿verdad?

El doctor, sorprendido, cambió su expresión y lo miró a la cara con detenimiento, después de estudiar su rostro por unos segundos, le dijo: "el caso Marcos. ¿Cierto?"

–En efecto –contestó satisfecho–, soy Víctor Cáceres, hijo de Leonor Marcos.

Por un instante recorrieron sus memorias y actualizaron las facciones en el archivo que cada uno guardaba del otro.

–Me tomó un día completo poder localizarlo, nunca imaginé encontrarme con un médico. Estoy gratamente sorprendido.

–Cuando nos conocimos cursaba los últimos años en la facultad. Siempre quise curar, mi situación económica me impidió estudiar más joven.

–Trillado pero cierto, nunca es tarde "Doctor Carrasco".

–Gracias. ¿Qué lo trae por estos rumbos?

–Como podrá suponer, necesito tratar algunos aspectos de la investigación que usted realizó. Por lo avanzado de la hora supongo que debe estar cansado.

–¿Por qué no viene mañana a las ocho? La consulta se inicia tarde.

–Llegaré puntual. ¿Cuánto le debo?

–Ni lo mencione. Aquí lo espero.

Víctor y Pablo salieron rumbo a casa, las tensiones vividas incrementaron el cansancio y el deseo de un sueño reparador.

A la mañana siguiente Cáceres tomó su auto y a las ocho se hallaba en el consultorio del doctor Carrasco. El médico no disimuló su gusto al verlo de nuevo, lo llevó hasta el comedor, donde el desayuno los esperaba sobre la mesa.

Cáceres, sorprendido por la gentileza, dijo por puro formalismo: −"no se hubiera molestado"−. Enseguida, urgidos por la prisa del hambre, disfrutaron los platillos. Víctor descubrió en ese almuerzo el sabor de la mano que sabe condimentar y el calor de quien desea compartir.

En un principio hablaron de su pasado reciente, Cáceres preguntó por qué se había retirado de la policía.

−Siempre quise ser médico. La extrema pobreza en que crecí me persuadió, a medias, de que nunca lo lograría. En un principio acepté la lógica del vivir cotidiano y de la necesidad. Con el pasar de los años decidí intentarlo, empecé a combinar el trabajo con la carrera; mi vida se complicó demasiado ya que el estudio resultó laborioso y prolongado. Me tomó siete años. El último año de la carrera me exigió una entrega total y opté por dejar la policía. Además, me decepcioné con el caso de su madre que tan cuidadosamente había seguido. Los datos me convencieron de que no se trataba de un crimen común. Los móviles que, en un principio, parecían el robo y la violación, cambiaron en la medida en que avanzaba la averiguación. Sin embargo, cada vez que reportaba un hallazgo las pistas se desvanecían.

Como si alguien tratara de complicar mi trabajo. Después de dos años me quitaron el caso para archivarlo, con eso me dieron la patada que necesitaba para renunciar. Así que le dije a mi comandante: "o finalizo la investigación o me retiro". El crimen quedó impune y yo terminé medicina.

−Juan. Algunos sucesos ocurridos en días pasados han despertado mi deseo de aclararlo todo de nuevo.

Me siento invadido por un extraño malestar que me exige conocer los motivos del asesinato de mi madre. Quisiera relatarle ciertos acontecimientos recientes que me inquietan.

Víctor inició su historia desde la sesión de espiritismo hasta sus entrevistas con el falso Manuel Capuano; tocó lo referente a la "libreta negra" con detalles y descripciones. Carrasco lo escuchó con la agudeza de un detective, permitiendo que su interlocutor se explayara a sus anchas sin interrupciones.

—¿Y qué criterio se ha formado? Preguntó Juan.

—No he podido ordenar mis pensamientos. Tal vez se trate de un presentimiento, una rara sensación de la cual no acostumbro a hacer caso. Pero estos incidentes, aparentemente casuales, me han hecho revivir viejas incógnitas.

—¿Pudo entrevistarse con el verdadero Manuel Capuano?

—Lo intenté una vez. Pero decidí venir antes con usted para proponerle que se haga cargo de la indagación.

—Por ahora sólo investigo enfermedades. Mi trabajo me absorbe de día y de noche.

—Le ofrezco cien pesos diarios más gastos.

—No —sonrió con señas de rechazo—, no se trata de dinero.

—Estoy desesperado, usted es mi mejor posibilidad. ¡Ayúdeme por lo qué más quiera! Exclamó Cáceres con angustia.

Motivado por su propia vocación, Carrasco contestó que podría hacer algunos arreglos con la consulta de las mañanas y ocupar medio día. La faz de Cáceres reflejó un gesto expectante. El doctor guardó silencio.

–Mire –empezó a decir Víctor–, le propongo que probemos por treinta días, si usted decide abandonar el caso, le prometo que no insistiré.

–Voy a serle franco, este asunto tampoco ha desaparecido de mi mente, mi instinto me dice que hay algo muy turbio que debe ser desenmascarado. La sensación que usted experimenta la he vivido. Al escucharlo, volví a sentir la necesidad de llegar hasta el fondo de esos hechos.

–¿Tal vez le interese participar en una de esas sesiones espiritistas?

–Por el momento conviene que nuestra relación pase desapercibida.

Cáceres no preguntó, mostró su disposición a seguir las instrucciones del detective, quien se limitó a anotar en una libreta los datos generales de su interlocutor y los de Manuel Capuano. Acorde con su práctica de sustituir las palabras con acciones, Víctor le extendió diez billetes de cien pesos.

–Dígame Juan, ¿alguna vez escuchó de Heinz o de Zúñiga?

–A Zúñiga lo interrogué. No recuerdo a ningún Capuano ni a un Heinz. De cualquier forma, voy a revisar mi bitácora con detenimiento. Tenga paciencia y espere noticias mías. Pactaron una próxima entrevista y se despidieron.

Cáceres aprovechó su estancia en el centro y se dirigió a la Editorial Zúñiga. Por las viejas callejuelas podían observarse construcciones derruidas de antiguas vecindades y edificios bien conservados de la época colonial. El centro de la ciudad, que antiguamente constituyó toda la ciudad, ahora contenía monumentos descuidados, edificios modernos y de todas las épocas. Muy pocas cosas parecían respetar la historia, hasta el menor hueco se usaba para fines comerciales. Los vendedores ambulantes multiplicados y extendidos, preferían los cruces de las calles para exhibir sus mercancías, sin importarles las dificultades que producían a la circulación. Vencidos los obstáculos, Víctor logró estacionar su auto y se dirigió a la imprenta. La vieja puerta de madera que daba acceso al negocio estaba abierta, se introdujo hasta medio pasillo, donde un empleado salió a su paso. Víctor le pidió que llamara a cualquiera de los señores Zúñiga.

En unos minutos se presentó un hombre mayor de cuarenta años dispuesto a atenderle. Se trataba de Armando Augusto Zúñiga hijo mayor de don Armando, editor de los escritos de la señora Marcos. Víctor lo puso en antecedentes de su anterior entrevista con el joven Zúñiga y, a diferencia de la ocasión pasada, el buen humor y la confianza matizaron, desde un principio, su relación.

Caminaron por el interior de la vieja casa hasta llegar a una sala antigua y mal iluminada. Se acomodaron sobre dos sillones viejos y descuidados. En la habitación se percibía el aroma oxidado de lo vetusto, el olor de lo añejo llenaba cada rincón; la humedad hacía crecer musgos y líquenes en algunas esquinas. Todo encajaba en ese ambiente, los aromas, la media luz y el asiento desvencijado, aquello formaba parte de una fotografía dimensional de otro tiempo.

Obligado a explicar su presencia, disimuló sus motivos y argumentó que deseaba recopilar los escritos de su madre con el objeto de organizar su historia familiar. Augusto se refirió a la señora Marcos como una mujer de cualidades poco comunes, admirada por sus lectores y por aquellos que trataron con ella. Cáceres agradeció sus palabras y preguntó sobre

Manuel Capuano. Augusto sonrió al escuchar el nombre y respondió.

–Se trata de un vendedor de papel cuya verdadera profesión era el buen humor; nunca le faltaron anécdotas ni cuentos. Nos visitaba cada quincena, probablemente sé entrevistó aquí con su madre, no lo sé de cierto.

–Por favor Augusto pidió suplicante– descríbamelo.

–Mayor, de escaso pelo entrecano, obeso, y más bajo que yo.

–¿Y sus ojos? Dígame, ¿cómo eran sus ojos?

–Café o verde oscuro, no recuerdo con precisión; usaba gafas de alambre.

–¿No eran azules?

– No estoy seguro, puedo equivocarme .

–El nombre Heinz, ¿le dice algo?

Zúñiga dudó por unos segundos y negó conocerlo.

Cáceres permaneció callado. Inició un diálogo interior donde vio sin mirar y escuchó sin entender. Vio y escuchó su propio pensamiento. Experimentó una ausencia fugaz del mundo exterior que le ordenó desconfiar y sospechar de cualquiera.

–Señor Cáceres, ¿se siente bien? Preguntó Augusto un tanto desconcertado.

–Disculpe. Recordé por un momento a mi madre y la *inventé* en este sitio, donde seguramente pasó buenos momentos al lado de ustedes.

–Recuerda usted lo no vivido. Sin duda tendrá madera de escritor.

–Una ausencia sin importancia. ¿Podría proporcionarme más detalles del señor Capuano?

–No lo veo desde hace años, parece que vive en Guadalajara. Si me espera un momento, enseguida traeré los originales de su madre y los datos del señor Capuano. Tras la anuencia de Víctor, Augusto Zúñiga se movilizó en busca del material ofrecido.

En ese momento de soledad propiciada, Cáceres recorrió en su mente los últimos acontecimientos; por una parte, la ubicación de Capuano en Guadalajara coincidía con su pesquisa, por la otra, no sabía si le convenía entrevistarse con él. Las cosas se presentaban de manera muy diferente, las mentiras de Heinz eran demasiadas como para atribuir a la casualidad lo sucedido. Ni siquiera la confesión final, cuando reveló su identidad, alejaba las sospechas que ahora se formulaba. ¿Por qué mencionó a Capuano?, ¿por qué lo guió a Zúñiga?, y la pregunta más lacerante de todas: ¿qué relación había entre Heinz y su madre?

La abundancia de interrogantes le provocaba una confusión cada vez mayor, los pensamientos desordenados le hacían acusar a ese hombre de asesino o de maniático, cualquiera que fuera el caso, existía la sensación de peligro y la posibilidad de caer en una trampa.

La confluencia de lo inexacto con lo impredecible provocaba la inseguridad de Cáceres, –buscador anhelante de certezas– se daba cuenta que empezaba un juego de desequilibrios semejantes a una cuerda floja.

Al cabo de un buen rato Zúñiga se presentó con un atado de cartón; lo depositó sin delicadeza sobre el mostrador y dijo: –"Aquí están, tal vez los manuscritos no esten completos; pero son los que tenía a la mano".

Una mezcla de agradecimiento y simpatía emanaron de Víctor ante la colaboración recibida, la cálida despedida dejó abierta la puerta para otros encuentros.

Cáceres tomó el paquete y se dirigió a su fábrica. Las faenas pendientes le reclamaban cada minuto. Autorizó la compra de acero, ángulo y solera, revisó su situación bancaria. Las necesidades del trabajo y los telefonemas le impidieron realizar otra actividad, pensó en quedarse esa noche para revisar los manuscritos y solicitó que le trajeran una vianda con café. A las seis de la tarde los empleados se habían retirado, excepto el velador. Las luces de las oficinas permanecieron encendidas hasta avanzada la noche. Cáceres leía con fruición los escritos de su madre. Revisó las galeras de poemas publicados, al margen de ellas identificó correcciones tipográficas y ortográficas. Nada de lo que leía le proporcionaba indicios sobre el asunto que le preocupaba.

Comprendió que le tomaría mucho tiempo revisar el copioso material. Suspendió su meticulosa labor y sacó el contenido de la caja para examinarlo en forma superficial. Trató de ser metódico y conservar el orden en que venían acomodados los documentos. Cerca del fondo se encontraban unas hojas cogidas por el borde con un título sugestivo: *"Desde que abrí los ojos. Autobiografía"*.

Víctor esperaba encontrar datos valiosos en ese manuscrito. Su entusiasmo fue breve, las altas horas de la noche le hicieron suspender su tarea y llevarse las memorias consigo.

Manejó por las calles casi desiertas y encharcadas de la ciudad; la lluvia nocturna le obligó a conducir con mayor precaución. Al llegar a su casa, Pablo lo aguardaba intranquilo, Víctor agradeció su gesto y le pidió que se retirara a descansar.

En su recámara apuró sus enjuagues y lavados para enfrascarse, cuanto antes, en el escrito. Las hojas te-

nían una coloración amarillenta y despedían un tufo
añoso. Localizó el primer párrafo e inició la lectura:

*Mi vida como ser no comenzó en la concepción ni con mi
nacimiento, sino cuando pude creer en el tiempo y me di
cuenta que el principio anticipa el final y que la vida sólo es
un punto entre dos extremos.*

*En mis orígenes lo nuevo era total, no había que calificar
los hechos, las palabras malo y bueno no existían; en honor
a la verdad no existían los atributos, las cosas se definían
por sí mismas, la vida como experiencia irreflexiva no
demandaba justificaciones.*

*Nací en Varsovia, una gran ciudad enclavada en el cen-
tro de Europa. Mi casa se dividía en dos partes: al frente
tenía una tienda donde se vendían libros y verduras y en
la parte de atrás, sobrevivía el mundo al que pertenecía.*

*Las extrañezas de los que me rodeaban constituyeron la
parte habitual de mi vida.*

*Me llamaron Lea igual que una de mis abuelas, fui edu-
cada dentro del rigor de la fe judía, lo cual no debe considerarse una desgracia, a menos de que se haya nacido mujer;
desventura que se aminora si no se tienen inquietudes, ni
dudas. Mis dificultades vinieron de mi naturaleza inquisitiva e inconforme, recibí mucho cariño; pero fui tratada como
mujer. Y una de dos: o me equivoqué de sexo o tenían una
concepción errónea de lo femenino.*

*Ser mujer equivalía a un estado de invalidez, significaba
carecer de la capacidad de enfrentar la vida con independencia. Estaba condenada a dejar que un hombre confeccio-
nara el resto de mis días, tenía que aceptar someterme antes
de amar, y eso, si algún día llegaba a experimentar el amor.*

*De niña mi vida no necesitó alternativas, no había cues-
tionamientos demasiado difíciles, lo dicho por los hombres
de la casa equivalía a la verdad universal.*

Esa certeza absoluta se derrumbó conforme mis dudas crecieron; de la misma manera que otros principios se fragmentaron y convirtieron en verdades cada vez más pequeñas o en falsedades más grandes.

Crecí y entendí el honor de la mujer como miedo al hombre, la alegría como liviandad, la obediencia como renuncia a mí misma y el placer como bajeza (más tarde descubrí mi gusto por "las bajezas"). Las verdades de otros dejaron de serlo para mí y caí al abismo. Dudas sin respuesta me enfermaron de desconfianza en las verdades únicas.

Cáceres se perdió poco a poco dentro del sueño. Entrada la mañana una llamada telefónica interrumpió su descanso, tomó la bocina y reconoció la voz agitada de Carrasco. El asunto era urgente, el detective había localizado a Capuano en Guadalajara y, sin obtener mayores detalles, se enteró que había sufrido un accidente. Esta situación le obligaba a propiciar una entrevista inmediata. Víctor propuso viajar cuanto antes, acordó recoger a Carrasco antes de las diez de la mañana para tomar el vuelo del mediodía.

Cáceres se levantó adormilado y escondió el manuscrito de su madre. Pasaban de las seis; su debilidad y confusión le hicieron detenerse por un instante. La reciente lectura le recordó que había sido educado sin fe religiosa, en medio de una libertad incondicional de pensamiento. Cuando preguntó por qué no se hablaba de Dios en su casa, su padre le dijo: "para conocer a Dios no se necesita hablar de él, sino con él".

Las lucubraciones de Víctor hubieran proseguido, de no ser porque a la mitad de la ducha el agua caliente se terminó y el baño frío lo regresó a la realidad.

Capítulo cinco

El bien se ejerce con el corazón, el mal con la conciencia

23 de mayo de 1950

En cuanto llegaron al aeropuerto, Cáceres y Carrasco se formaron para adquirir los boletos. La señorita de la taquilla, ajena a toda prisa, exhibía su extrema calma disparando la impaciencia de los usuarios. Cuando Víctor solicitó dos boletos para el próximo vuelo a Guadalajara, la dependiente tomó los datos de los pasajeros y les expidió un comprobante para la siguiente mañana. No hubo argumento válido, el vuelo de ese día estaba suspendido.

Abatidos por la circunstancia concluyeron que lo mejor era aguardar, nada ganarían utilizando otro medio de transporte. Se dirigieron de regreso a casa de Carrasco para comunicarse con el sanatorio donde estaba internado Capuano.

Instalados en el consultorio, Carrasco apelaba a la buena voluntad de la operadora telefónica para que insistiese en la comunicación con el hospital de Guadalajara. Cuando por fin se logró la conexión, la jefa de guardia del hospital se limitó a reportar que Capuano se encontraba en condiciones estables y fuera de peligro. Carrasco obtuvo los detalles del accidente y le comunicó a Cáceres que se trataba de una fractura del brazo izquierdo, provocada por un percance automovilístico. No pudo dar mayores informes y se abstuvo de hacer inferencias. La noticia tranquilizó a ambos, por lo que acordaron en verse al día siguiente para viajar.

En el trayecto a su trabajo, Cáceres recordó que esa noche tenía una cita con Alejandra para asistir a la presentación de María Callas en el Teatro Nacional de las Artes.

Por unas horas sus pensamientos dejaron de ser compulsivos para transformarse en ilusiones atrevidas. Sus fantasías llevaban consigo un enigma y una esperanza. La esperanza la conocía, la resolución del enigma tendría que esperar hasta la noche.

Las ilusiones de Cáceres representaban visiones anticipadas de sus deseos, mentiras que se contaba a sí mismo o, tal vez, invenciones fugaces de felicidad. Sin saberlo, Víctor aprendía de sus ilusiones, ellas le permitían presenciar sus afanes por adelantado al enseñarle una parte de un infinito anidado en su interior.

Incapaz de huir de sus propios interrogantes, Víctor Cáceres ignoraba que sus dudas eran un cúmulo de misterios colocados entre la realidad y sus aspiraciones. Sus incógnitas se proyectaban en los acontecimientos de su vida como cuestiones que lo desgarraban y le interrumpían la calma, suministrándole motivos suficientes para vivir.

Para Cáceres el amor era una vivencia reprimida que se esforzaba en excluir. Quería evitarlo, mas no podía. Una pregunta le invadía burlando los obstáculos de su inteligencia: ¿podré estar con ella sin volver a quererla? Sentía que el afecto por esa mujer figuraba en los anales de su historia como una cuenta saldada y archivada.

Las cuentas saldadas pierden su vigencia. Cáceres guardaba un orden estricto en los expedientes de su pasado. Sus sentimientos por Alejandra se empolvaban entre otros tantos registros de su vida, donde eventuales recuerdos rescataban experiencias de un ayer lastimado.

Durante la jornada le reportaron la falla de una de las cizallas; localizó el desperfecto y después llamó al mecánico. Más tarde firmó un par de cheques y revisó las cotizaciones para un concurso de mobiliario del Hospital General. Cuando se quedó sólo y el bullicio se transformó en quietud; el ambiente de paz lo agitó en lugar de tranquilizarlo. Sufría temblores involuntarios en su pierna derecha, tomó agua, se lavó la cara y salió hacia la casa de Alejandra.

En la radio de su auto un comentarista se mostraba satisfecho por la actitud del Papa Pío XII, que amenazaba con excomulgar a quienes simpatizaran con el comunismo. Cáceres prefirió el silencio y apagó el aparato.

Minutos después de que Víctor se anunció por el intercomunicador, Alejandra se presentó arreglada con elegancia. Lucía un traje de lana azul marino que descubría el nacimiento del busto; con un saco corto cubrió de inmediato sus hombros desnudos. Se saludaron con prisa y salieron rumbo al teatro.

En un principio parecían no saber que decirse, la conversación se limitó a breves frases de referencia a la Callas y a la Ópera. Callaron. Estaban tensos sin razón aparente.

En el teatro la gente se aglomeraba en el pórtico; los que entraban vestían galas y pieles acordes a las exigencias de la moda y la apariencia social.

Cáceres y Alejandra se sentaron en la luneta. Nada se interpuso entre ellos y el telón adornado con una pintura de los volcanes que guardan la entrada a la ciudad de México. Los asientos cubiertos de terciopelo oscuro acogieron a los espectadores.

Se descorrió la cortina. El silencio expectante se convirtió en una erupción de aplausos cuando la diva apareció. La música envolvió la sala y las miradas se centraron en la figura de la cantante. Cáceres recargó su brazo y rozó accidentalmente el de Alejandra; ese sutil contacto volvió su pensamiento errante y ya no conoció límites. La voz que saturaba el teatro le sirvió para transportarse a las tierras fangosas del cariño rectificado.

Convertido el teatro en monumento a la voz, el espacio se impregnó de arias melancólicas y alegres. El hilván de la música unió los sentimientos del público, hasta alcanzar un final desbordado que reclamaba el encore. La artista se aprestó a interpretar un fragmento de *Aída*, pieza que multiplicó las ovaciones y los agradecimientos de la Callas, en una plataforma que se llenaba de flores.

Al final de la función Víctor le preguntó a su compañera a dónde prefería cenar, ella expresó con franqueza que no tenía apetito. Antes de que él sugiriera otra cosa, ella lo invitó a tomar unos bocadillos y café en su casa.

En el recorrido comentaron con elogios la presentación y confesaron su escaso conocimiento de la música. Cáceres se mostraba tranquilo, Alejandra, en cambio, lucía nerviosa y respondía con frases cortas. Acomodado en la sala del departamento, Cáceres esperaba inquieto con una copa de oporto entre sus dedos. Observó distraído su alrededor, el lugar le resultaba familiar, como si lo hubiera dejado el día anterior. Estuvo tantas veces ahí, con ella a su lado, lleno de ganas de vivir.

Las ganas de Víctor Cáceres eran su forma primitiva de querer algo con el cuerpo, un impulso que sólo requería experimentarse. Una reacción pura e inevitable. La educación formal de Víctor Cáceres le enseñó a reprimir y controlar esa fuerza primordial de su biología; en muchas ocasiones calificó sus apetitos como una expresión de animalidad ajena a su naturaleza. En contra de sus convicciones, ignoraba que las ganas no son una opción, sino un imperativo vital.

Esa noche Cáceres, sin saberlo, volvía a caer en los embustes de su educación. En la mentira de considerar sus pulsiones como algo que puede elegir. Gracias a esa treta podrá comportarse con seso y cordura.

Coincidir en los momentos, reaccionar de la misma manera, tener ganas juntos, lo rompe todo, aún los esquemas rígidos de un tortuoso pasado. Esta vez, en el interior de Alejandra, nuevas fuerzas invisibles corrían hacía su conciencia.

Los dos sabían que podían cambiar su historia y sus principios, para acabar con un mundo hecho a imagen y semejanza de su obstinación equivocada.

A esas horas no se encontraban dos personas, sino dos impulsos vitales con la oportunidad de rectificar su pasado. Para ello será necesario que se arañen, se infrinjan heridas y que éstas sangren. Tendrán que prescindir de la cordura y atreverse a ejecutar una acción primitiva de apertura.

–"Muchas gracias"–, dijo Cáceres cuando ella le sirvió los bocadillos. –"De nada"–, le contestó. Ambos correctos.

El pidió la sal y ella no se la quiso entregar en las manos; entonces él preguntó: –¿erés supersticiosa?– Ella lo negó y le devolvió la misma pregunta. –"No, claro que no"–. Los dos tenían supersticiones, los dos mentían, y los dos sabían que mentían.

Ella quiso poner música, el prefirió la calma, ella no intentó hacer algo más, suponiendo que la noche ya había dado cuanto debía dar. Bebieron una última copa de silencio.

Ese silencio los comunicó. El peinado de ella se desmadejaba, él aflojó su corbata. Los dos se veían. El terminó su copa y se levantó para despedirse, ella lo siguió. El nudo de la corbata recobró su lugar, apretando lo que debía apretar. En ella, el nudo de la garganta también apretó lo que debía apretar.

El dijo adiós y se marchó.

Se alejó sin esperanzas.

Alejandra se quedó sola como tantas otras veces, sin embargo, ahora vivió la soledad en toda su vastedad. Sintió esa soledad que se asemeja a la nada, la incorporó en sus entrañas y empezó a dejarse vencer. Reconoció en esa sensación la parte tenebrosa de la soledad, se dio cuenta de que ella representa la antesala de la muerte, del dejar de ser. No era la nada, sino la conciencia de la nada lo que se apoderaba de su interior, no encontró el espacio vacío de su vida, era su vida la que se vaciaba.

Tal vez por ese vacío, Alejandra corrió por las escaleras y le gritó a Víctor para que regresara. Mas él no podía escucharla, ya no estaba ahí. Entonces volcó su prisa hacia la calle, su peinado se desbarató y también el nudo en su garganta. Gritó, gritó con vigor su nombre. El la escuchó, no supo que pasaba, reaccionó, fue a ella y la abrazó.

El no preguntó, ella no tenía respuestas. La noche que había dado todo lo que tenía que dar, descubrió a sí misma, antes de terminar, que no había entregado nada. La diva que recién se presentó a México, ya era una gacetilla de periódicos y un manojo de recuerdos para unos cuantos; pero esa noche húmeda, en medio de sus humores, atestiguaba el principio de un acto tramado por el amor.

El no pidió nada, ella lo quería dar. Solos en el departamento, los labios se acomodaron entre los labios, se humedecieron. De repente Alejandra se separó con brusquedad. En el labio inferior de Víctor había una gota de sangre. El se quedo estático, ella echó su pelo hacia atrás y se arrojó sobre un sofá.

Víctor se acercó sin decir nada. Sin entender nada. Próximo a ella intentó tocarla. Escuchó gemidos que no tardaron en transformarse en un llanto irrefrenable, brusco y tormentoso.

No supo qué hacer, no pudo calcular sus movimientos. Su instinto le hizo saber que el tiempo de hablar y el de escuchar habían llegado. Se sentó frente a ella a esperar que las cosas sucedieran solas.

El llanto de Alejandra parecía un códice de tristezas oculto en los recodos de algún tiempo. Una emoción de agua salada se deslizaba por su rostro dejando las huellas de un mar de incógnitas.

Inmersa en su naturaleza, Alejandra tenía su propia lluvia, su propio calor y su propio frío. Algunos, como

Cáceres, se avergüenzan del llanto porque sienten que al llorar se devela una parte de aquellos misterios cuidados inútilmente como secretos.

–No puedo evitarlo, dijo Alejandra en pleno sollozo.

–No lo evites, exclamó Víctor.

–No me entiendes –dijo ella sin voltear a verlo –no he podido olvidar. Todas las noches siento que está aquí.

–Nunca quisiste hablar de ello.

–¡Fue horrible!

–Háblalo Alejandra. No te lastimes más.

Poco a poco el desconsuelo de Alejandra cedió y las palabras empezaron a fluir, a seguir un continuo de emociones y hechos que la torturaban como si estuvieran vigentes.

La distancia entre los dos estaba clara, los límites se fijaron entre el "*tú me escuchas*" y el "*yo hablo*". Las fronteras sólo podrían ser traspasadas más tarde, si el diálogo se convirtiera en dos "*yo te entiendo*", en dos "*comparto tu sentir*", y en dos, que al final de cuentas se reconocieran en la llaneza de sus deseos.

–Recuerdo a Leonor –empezó a decir Alejandra– delgada, esbelta. Sus ojos pequeños parecían cerrarse cuando reía, utilizaba cualquier oportunidad para hacer una broma. Como cada sábado, nos aprontamos para ir al Hotel Canarios a pasar el fin de semana. María Engracia tenía preparada la comida que íbamos a llevar y nos aguardaba.

Salimos temprano rumbo a Cuernavaca. Durante el camino me quede dormida. De repente el auto se detuvo con brusquedad. Al abrir los ojos me percaté, con espanto, que tres hombres bajaban de un carro que nos impedía el paso. Al aproximarse a nosotros, golpearon a Pablo y nos obligaron, a tu mamá, a María

Engracia y a mí, a subirnos al auto. Nos vendaron los ojos y después de un largo viaje nos separaron de tu madre, a nosotras nos encerraron dentro de un cuarto sin ventanas y sin muebles; apenas una escasa luz se filtraba por el techo. Pasamos casi un día sin alimentos y sin saber lo que ocurría.

María Engracia y yo nos mantuvimos unidas. Desesperadas, tratamos de forzar la pequeña puerta de madera de nuestra cárcel para escapar. Nuestros esfuerzos resultaron inútiles, sólo logramos cansarnos. Nos acomodamos juntas sobre el piso de tierra, respiramos el polvo del suelo hasta familiarizarnos con él; no sabíamos nada de tu madre. Casi no dormimos, la sensación de amenaza se hizo más patente cuando alguien abrió la puerta; el miedo nos paralizó. Un hombre con la cara cubierta se presentó con una cubeta de agua y una bolsa de pan; comimos y bebimos sin olvidar el peligro.

La templanza de Víctor se debilitaba, las palabras lo dañaban. Se sentía obligado a contener sus emociones y a fingir serenidad. Alejandra respiró profundamente y continuó el relato.

–Ignorábamos que nunca volveríamos a ver a Leonor con vida. Unas cuantas horas más tarde se presentó el hombre de la cara cubierta con otra cubeta de agua y una pila de tortillas; sólo que esta vez cerró la puerta y se quedó con nosotras; nos dijo que nos iba a amarrar y a vendar los ojos para llevarnos con Leonor. Trató de ser amable, prometió liberarnos pues "el asunto" se estaba arreglando. No ofrecimos resistencia, había cierta cordialidad dentro de lo hostil de la situación, no dijimos nada y permanecimos de pie.

De repente sentí un fuerte golpe en la pierna que me derribó. Grité, recibí a cambio una descarga de bofetadas que me acobardaron. Enseguida sentí el recorrer de su boca por mi cuerpo; me arrancó la ropa y arremetió contra mí. Reaccioné como un ser de piedra, negándome cualquier sentimiento y sensación. La cara de Alejandra reflejaba odio y náusea. Quería hablar, escupir la ignominia vivida y que Víctor la escuchara. De esa manera él podría entender por qué ella se rehusaba a comportarse como mujer, en especial, como la mujer de él.

—"Voy a terminar con la vieja y regreso. No se vayan"—dijo ese bruto con ironía y se marchó. María Engracia preguntaba atemorizada si aún vivía. Le dije que estaba bien y le pedí que se calmara. Desde ese momento no volví a llorar, me concebí como un ser inanimado e insensible.

Horas más tarde oímos que la puerta se abrió de nuevo, entró el mismo sujeto y atacó a María Engracia; la maltrató para vencer su oposición y la violó. Acepté nuestro próximo fin. El hombre, antes de marcharse, arrojó el agua fría sobre mi cuerpo.

En seguida confirmé el estado de María Engracia y me acerqué a rastras hacía ella con el propósito de desamarrarnos. Después de muchos forcejeos logré desatarla, luego ella me liberó. Entendimos que sólo huyendo nos salvaríamos. Con ayuda de la cubeta y las cuerdas logramos salir por el techo. Con suma precaución nos asomamos y no vimos a nadie; el cielo apenas clareaba y el sol no tardaría en aparecer. No teníamos idea de nuestra ubicación, así que caminamos con sigilo apartándonos de ese lugar.

Corrimos escalando por unas lomas. Frente a nosotras se sucedieron paisajes repetidos de malezas, montañas y árboles. Al poco tiempo, desfallecidas nos detuvimos a descansar en un paraje. El polvo nos cubrió como si participáramos en el ensayo de nuestro propio entierro.

Los ruidos de ese campo dejaron de espantarnos. Vagamos por horas hasta toparnos con un riachuelo donde nos bañamos, en ese lugar dejamos tierra, sangre y, un poco de pasado. Nuestra náusea se transformó en urgencia de vida, empezamos a correr para aprovechar la luz de la tarde, agotadas llegamos a un pueblo donde la gente nos ayudó a regresar a la ciudad.

El sollozo terminó. Alejandra levantó su cara y miró los ojos de Víctor.

–Ahora conoces la historia con sus detalles.

Alejandra se veía más repuesta y su necesidad de expresarse le hizo continuar.

–Con nuestras declaraciones la policía reconstruyó lo sucedido y se preparó para rescatar a tu madre; desgraciadamente la encontraron sin vida.

–Tú y María Engracia quedaron embarazadas –dijo Cáceres y agregó. –Tuvieron que decidir entre abortar y continuar con un estigma en el vientre. –Yo te aconsejé que te deshicieras de ese hijo, la ley te protegía. Y tú...

–Me negué a convertirme en criminal.

–Aún así, acepté tu decisión, no me importó lo sucedido. Rompiste con nuestro compromiso.

–Cierto.

– Alejandra: mi amor por ti no tiene requisitos ni condiciones.

–Después de lo que pasó –Alejandra retomó la palabra– me volví indiferente. Cuando nació la niña tuve que confrontar el odio del recuerdo con la maternidad. Muchas veces me ganó el odio. Azorada de mí misma, hice un pacto para obligarme a no querer a nadie. Cuando empecé a amar a Elsa me nació el deseo de pedir perdón a quien me brindara afecto y decirle que no merecía ternura, que no podría devolver una gota de cariño.

Alejandra agachó su cabeza, hundió las manos en su pelo y rehuyó la mirada de Víctor.

Cáceres se pegó a las rodillas de ella y las besó.

El soplo de la noche empezó a combinarse con el nacimiento de la luz, los vidrios de las ventanas se llenaron de millones de gotas de agua condensada y por la rendija de una ventana mal cerrada penetró un frío peculiar que no los molestó.

Descansaron juntos, experimentaron una proximidad espontánea después de tanta lejanía impuesta. Cuando alguna vez Cáceres expresó que amaba a Alejandra con pasión, en esa actitud se reafirmó. Porque la pasión es una respuesta autónoma que goza del privilegio de no poderse olvidar. La pasión produce la sensación de haber sido libre y, desde luego, puede dejar una cuenta pendiente, una cuenta sin saldar.

Por esa pasión que alguna vez vivió Víctor Cáceres, el pasado se posesionó de una buena parte de sus sentimientos. La pasión inconclusa no le permitió volverse a enamorar. Aquella relación se dio una sola vez en su vida.

–¿Se puede amar más de una vez?, preguntó Alejandra.

Víctor la escuchó en medio de su perplejidad y no pudo contestar, se limitó a abrir los ojos. Ella los tenía bien abiertos y no quiso responder.

La luz de la mañana penetró el espacio, ambos descansaban separados; él, sobre un mullido sofá. Alejandra extendida sobre el tapete.

Cáceres miró el reloj, faltaban diez minutos para las seis, recordó su compromiso con Carrasco y apresuró su arreglo sin molestar a Alejandra. Cuando regresó del baño la encontró despierta.

–¿Por qué te vas tan temprano?

–Salgo a Guadalajara en un par de horas. Tengo que irme.

–¿Te preparo algo?

–No gracias.

–Quítate el traje y deja que lo planche.

–Te lo agradezco. No es necesario, dijo Cáceres con firmeza y pudor.

La combinación de pudor y firmeza establecieron un problema *antropológico* que Alejandra resolvió con facilidad. Al poco tiempo, Víctor salió de la casa con el traje planchado.

Capítulo seis

Todo mal puede ser peor

24 de mayo de 1950

El azul característico de ese cielo sin nubes presagiaba un calor intenso. Cáceres estaba nervioso, viajar en avión lo alteraba. Al encontrarse con su compañero, la prisa compartida diluyó sus temores. Ahorraron las formalidades y se enfilaron al aeropuerto. Los trámites necesarios fueron rápidos y al poco tiempo se encontraron en la sala de espera. Ambos estaban inquietos; el anuncio del abordaje les provocó una leve taquicardia.

El potente tetramotor despegó de la superficie. Estaban a merced de la máquina. Al través de la pequeña ventana lateral captaron la realidad desde otra perspectiva, las montañas se convirtieron en meros accidentes de la planicie, las masas de nubes semejaban un campo de blancos sucesivos que se interponían entre el cosmos y el planeta.

–Me pone un poco nervioso estar tan lejos del suelo. Comentó Cáceres.

–A mí me pone nervioso la manera como mira por la ventana.

Una vez lograda la altitud necesaria sirvieron el desayuno. Comieron y platicaron frivolidades. El ruido constante de los motores perdió significado al transformarse en habitual. En medio de comentarios sin importancia Carrasco preguntó sobre su vida reciente. Víctor se limitó a describir una existencia monótona y aburrida.

–Recuerdo que iba a casarse con....– tras sus palabras, Carrasco evocó imágenes de una experiencia truncada y se detuvo.

–Con Alejandra. Dígalo. Una de las víctimas del secuestro. Completó Víctor.

–Si no peco de indiscreto, podría contarme lo que sucedió entre ustedes.

–Peca usted; de cualquier forma se lo voy a contar –dijo Cáceres burlón y siguió la charla. –Alejandra y yo estábamos a punto de contraer matrimonio, la fecha estaba propuesta y nada parecía interferir. Después de la violación estuve dispuesto a olvidar lo sucedido y cumplir con mi compromiso de boda. La quería y eso me bastaba. Le insistí, le imploré y no logré hacerla cambiar de opinión. Rompió en forma definitiva con nuestro compromiso.

–No entiendo por qué siguió con ese embarazo, su interrupción estaba justificada desde el punto de vista legal. Su negativa me hizo sospechar una posible complicidad.

–Puede estar seguro de su completa inocencia –replicó Cáceres, –esa mujer paga en vida una condena inmerecida. Resulta sorprendente su ejemplar conducta de madre.

Carrasco siguió con su interrogatorio informal y quiso saber sobre María Engracia, la segunda víctima violada durante el secuestro.

–Recuerdo –dijo Carrasco– que por una perversa coincidencia la sirvienta también quedó embarazada.

–Una paradoja estremecedora. María Engracia y su marido trabajan desde hace tiempo con mi familia, por alguna razón orgánica nunca pudieron tener hijos; ambos compartían ese pesar. Cuando supieron del embarazo el marido no permitió el aborto. Alejandra dio a luz a una pequeña que se llama Elsa y María Engracia a un niño de nombre Julio. El hecho de que son medios hermanos resulta inquietante.

–Esa situación se agrava, porque ustedes siguen manteniendo una relación amistosa que propicia el encuentro eventual de los pequeños.

–Se trata de un grave dilema. En días pasados la niña estuvo en mi casa y se encontró con Julio; compartieron una tarde de juegos como....como dos chicos. Cáceres titubeó.

–En realidad se trata de dos criaturas.

–Pero algún día preguntarán, querrán saber, y entonces... me aterra la idea de que averigüen por qué son hermanos y que pregunten por su padre.

–La situación se plantea muy difícil –reconoció Carrasco. –Sin duda tendrán que enfrentarla en su momento.

Por el altavoz el piloto anunció que en breves instantes iniciarían el descenso hacía el aeropuerto de Guadalajara. El avión empezó a perder altura y las ideas de los dos hombres se conservaron dentro de un estricto mutismo.

La salida del aeropuerto fue rápida, a bordo de un auto de alquiler se dirigieron al hospital para hablar con Manuel Capuano. Hasta ese momento ninguno tenía un plan para entrevistarlo, al parecer, estaban dispuestos a decir la verdad.

Guadalajara apareció provinciana y moderna, sus construcciones y edificios desafiaban cualquier concepto urbanístico. Llamaban la atención las avenidas arboladas y el bullicio natural de su ajetreo. Los visitantes, saturados de prisa y ansiedad, ignoraron el paisaje. En unos cuantos minutos se encontraron en la antesala del sanatorio Santa María Auxiliadora.

La recepcionista les indicó el número de cuarto del señor Capuano, subieron al primer piso donde una enfermera los condujo hasta el paciente.

Capuano aceptó recibirlos a pesar de que ignoraba las razones del encuentro. Tras un saludo que intentó ser cordial, pero que reflejaba una mezcla de incertidumbre y bochorno, Cáceres intentó describir sus propósitos.

Capuano era un hombre mayor, obeso, de pelo canoso, cara redonda y ojos amielados. Se mantuvo atento y serio hasta que Cáceres reveló su relación con Leonor Marcos. A partir de ese momento la mirada del viejo se hizo mas profunda y se dirigió, casi por completo a Víctor; como si intentase descubrir en sus gesticulaciones alguna señal de la madre.

Cáceres le dijo que investigaban de nuevo el asesinato y reseñó su historia a partir de la presentación del supuesto Capuano, quien más tarde resultó ser Heinz. Capuano, al escuchar el nombre, solicitó una descripción del sujeto. Víctor intentó dibujar con palabras los rasgos del impostor.

—He tratado de hacer a un lado ese capítulo de mi vida —empezó a decir Capuano— mas veo que no hay alternativa, tendré que afrontar aquellos hechos que ustedes hoy reviven con su visita. En unas horas me darán de alta y saldré del sanatorio. Conviene que nos reunamos en un lugar más íntimo, donde nadie nos interrumpa. Los espero en mi cuarto de hotel a las cuatro.

Para pasar el tiempo se dedicaron a recorrer la ciudad; lugar fascinante por los contrastes creados entre la naturalidad del ambiente y el rebuscamiento de las formas de las construcciones; en ellas dejaron sus huellas más de cuatro siglos. Podían observarse mezclas de los estilos neoclásico, morisco, churrigueresco, gótico, y moderno; en algunos casos era posible reconocer una mezcla de ellos en un edificio. La catedral resultó un buen ejemplo de la fusión armónica de épocas y criterios de belleza desiguales, ahí se conjuntaban columnas dóricas con paredes góticas, dos torres de gran tamaño desobedecían el concepto de lo uniforme.

Visitaron el palacio municipal y el famoso Teatro Degollado. Al medio día se detuvieron a comer en uno de los restaurantes del centro, ahí permanecieron hasta las cuatro menos cuarto, hora en que enfilaron al Hotel Roma, lugar de la entrevista.

Se anunciaron con el conserje y subieron dos pisos hasta el cuarto; Capuano les aguardaba preparado para vivir un acontecimiento previsto tiempo atrás. A pesar del espacio reducido de la habitación, los tres se acomodaron con soltura. Capuano se esmeraba por atenderlos; les ofreció agua de frutas, vodka y galletas.

Antes de que ambos rechazaran el licor, Capuano había vertido una porción generosa de alcohol en cada vaso. Ración suficiente para que charlaran como si existiera entre ellos una amistad entrañable y antigua.

El modesto recibimiento anticipó un ambiente cálido, donde la confianza daría el acento dominante.

–No es que quiera hacer un rodeo –empezó a decir Capuano–, aunque confieso que lo acostumbro; soy vendedor y vendedor que no da rodeos debe considerarse un fracaso. Disculpen, ¿tal vez tienen prisa?

–En absoluto –respondió Carrasco– tómese el tiempo que necesite.

Apuraron el contenido de sus vasos y se sirvieron de nuevo, una estela de beneplácito y holgura empezó a flotar en el ambiente.

En espera de las palabras, los visitantes se acomodaron en forma descuidada sobre sus asientos, Capuano los observó por unos instantes y reinició el relato.

–Llegué a México poco después del asesinato del presidente Madero. Viajé en barco durante varias semanas desde Marsella hasta Veracruz a través del Atlántico, ese tiempo sirvió para afinar mi deseo por conocer estas tierras. De niño leí en los libros de la Alianza Francesa sobre los mayas, los aztecas y la Conquista Española. Mi gusto por el castellano lo heredé de mis padres, pues, aunque nací en Estambul, mi lengua materna fue el ladino[1]. De manera, que desde el primer día en el puerto mexicano me entendí con la gente. Empezaba el año catorce, Carranza se había revelado contra Huerta y proclamado el Plan de Guadalupe, los ejércitos revolucionarios peleaban unos contra otros.

En la segunda década del siglo habían en el país menos de trescientos judíos, en el diecisiete nos organizamos en La Juventud Israelita de México, asociación donde conocí a su madre.

---

[1] Castellano antiguo de uso común entre los judeoespañoles.

–¿Entonces lo del encuentro en la editorial es falso? Preguntó Cáceres.

–Inexacto mas no falso. Nuestro contacto inicial se llevó a cabo en una de las reuniones del Club de Jóvenes. Sin embargo, nuestra relación más importante se dio mucho más tarde, después de el reencuentro en la imprenta de Zúñiga.

Tras la explicación inicial, Cáceres instó a Capuano a no detenerse, las pausas lo alteraban, se mantuvo atento a la narración del vendedor, cuya prosa hablada semejaba una crónica novelesca. Capuano aprovechó el paréntesis para servir más vodka, los capitalinos mostraron menos resistencia y extendieron sus vasos.

–Viajé por estas maravillosas tierras donde aprendí a comer gusanos y a tomar pulque. –Me casé en Motúl, escondido lugar de la Península de Yucatán, donde el calor hace insoportable la existencia. Ahí, el señor dispuso que conociera a la mujer que me dio el mejor regalo de mi vida. Me la presentaron como Abal Maya. El nombre sonaba hebreo y su apariencia delicada me entusiasmó, además, hablaba el español con un acento extraño, lo cual nos hacía más afines. Empecé a frecuentarla y no tardé en descubrir en ella las cualidades de una extraordinaria mujer, entonces me di cuenta, que lo único que me retenía en ese horno geográfico era Abal, de manera que a las pocas semanas nos desposamos.

Vivimos en ese lugar hasta el año veinte. Después del asesinato del presidente Carranza regresamos a radicar en la ciudad de México donde me incorporé a las tareas habituales de la gran ciudad y volví a encontrar con Lea, su madre.

–Disculpe Manuel –interrumpió Carrasco–, ¿por qué la llamaban Lea?

–Permita que yo se lo explique –intervino Víctor.
–En realidad su nombre era Lea Marcus, al llegar a
México la registraron, por torpeza del escribano, como
Leonor Marcos; nombre que utilizó el resto de sus
días.
      El cerebro de Juan Carrasco registró los datos y
regresó a su actitud observante, atento al relato de
Capuano.
      –En mil novecientos veintitantos –continuó
Capuano– el general Obregón sucedió a Carranza en
el poder. Recuerdo que a partir de ese momento Lea
dejó de participar en nuestra organización. No fue
sino hasta un año más tarde, durante las festividades
del día del perdón, que se presentaron Lea y su madre
a uno de los rezos. Me acerqué para saludarla y noté
que estaba embarazada. Si no me equivoco se trataba
de usted.
      –En efecto, soy hijo único. Además, nací en el vein-
tidós. Replicó Cáceres satisfecho.
      –Al finalizar la ceremonia religiosa salí para despe-
dirme de ella. La vi del brazo de un hombre y la prudencia me obligó a detenerme. Más tarde averigüé
que se trataba de doctor Francisco Cáceres Rojas, su
padre.
      Mucho tiempo después, la casualidad nos reunió en
las oficinas de la Editorial Zúñiga; ella entregaba unas
galeras para impresión y yo tomaba un pedido de
papel.
      –¿En qué época fue?, preguntó Carrasco.
      –Eran tiempos de guerra, corría el cuarenta o el cua-
renta y uno. Me sorprendió lo bien que se conservaba.
En aquella ocasión me informó que había enviudado
un par de años antes.
      A pesar de su entusiasmo Capuano lucía cansado,
además, su lesión le molestaba. Los visitantes consi-

deraron prudente hacer una pausa e invitarlo a cenar.
Agradeció la iniciativa y se disculpó por no poderlos
acompañar. Ante tales circunstancias, acordaron verse
hasta la mañana siguiente.

Los capitalinos se hospedaron en cuartos separados
del mismo hotel, la calidez de la noche los invitó a
recorrer la ciudad y, como la provincia hace despertar
propósitos temerarios, alquilaron una calandria tirada
por un caballo para dar un paseo tranquilo y pueblerino, en un ambiente donde la modernidad todavía no
destrozaba el pasado.

Al otro día, durante el desayuno, el detective y su
cliente charlaban animadamente sobre la historia de
Capuano. Coincidieron en que trataban con un "dies-
tro de la redundancia". Un testigo de la historia tras la
figura de un viejo vendedor.

Una hora más tarde llamaban a la puerta de
Capuano. El viejo los dejó pasar y les ofreció un vaso
con té. En medio de la charla, Capuano detalló las actividades de los miembros de su familia. Después de
unas cuantas referencias a la salud siguieron con la
historia.

–Por los años treinta, la comunidad de origen israelita contaba con más de nueve mil almas, la mayoría
concentrados en México, Guadalajara, Monterrey y
Puebla. En esa época, un nutrido grupo apoyó al
presidente Cárdenas en contra del fascismo europeo.

Aunque las actividades antijudías en México fueron
limitadas, estas adquirieron distintas formas. La más
notable fue la lucha contra los comerciantes ambulantes mediante declaraciones en la prensa, telegramas
dirigidos a políticos y al mismo presidente. De estos
hechos sobresale el incidente del veintiséis de enero
de 1939[2].

---

[2] Referencias: (4), (11), (15).

–¿Qué fue lo qué sucedió?, preguntó Cáceres interesado.

–El nazismo gobernaba Alemania y sus intereses expansionistas eran claros. Hitler consideraba a México como una gran *reservorio* de materias primas, vecino de uno de los grandes centros del poder[3]. El veintiséis de enero, pasadas las siete de la noche, en la calle de Dieciséis de Septiembre se reunieron alrededor de doscientos hombres capitaneados por Adolfo León Ossorio. El grupo estaba formado por alemanes, italianos, y mercenarios reclutados entre los jóvenes desocupados a razón de un peso por cabeza.

En un principió se aglutinaron y empezaron a gritar lemas en contra de los comerciantes extranjeros, trataron de llamar la atención de los transeúntes para que se les unieran. La mayoría procuraron alejarse del sitio debido a la apariencia hostil del grupo, más tarde, empezaron a gritar consignas contra Cárdenas, la nacionalización petrolera, y la amenaza que justificaba su violencia: "los judíos, inventores del comunismo".

En breve la naturaleza antisemita de la masa se hizo más explícita. Empezaron a lanzar piedras para destruir un local de modas perteneciente a una señora Glanz[4], su esposo, un prominente intelectual de la comunidad (de cierto parecido físico con León Trotzki), hizo frente a decenas de agresores. Como pueden suponerlo, el hombre acabó vapuleado. La manifestación triunfante pretendió estrenar el flamante nazismo mexicano.

Se envalentonaron y arrojaron piedras en el lugar donde se encontraba la Cámara Israelita de Comercio.

---

[3] Referencias: (12) (18) (22).
[4] Ver fuentes genéricas (Últimas Noticias, Excelsior y El Popular) ref. (11) (18).

Cuando ya nada se les oponía, el júbilo de sus éxitos los condujo hasta La Lagunilla, lugar donde se dieron gusto quemando las mercancías y los puestos pertenecientes a los judíos. Al siguiente día una lucha de palabras cristalizó en los periódicos, se publicaron versiones contradictorias que desorientaron al público. Unos citaban al señor Glanz como el instigador del conflicto, los más objetivos señalaban los hechos tal y como ocurrieron. El periódico de los trabajadores[5] se manifestó en contra de tal acto,haciendo notar que el fascismo no tenía cabida en nuestro país.

Desde luego que en esa actividad se podían apreciar las manos de Alemania y de los germanófilos locales, cuyo interés en México era táctico y codicioso.

Si se han preguntado a qué viene tanto divagar, debo advertirles que no se trata de un simple rodeo lleno de memorias de un viejo en decadencia. No, esta reseña tiene que ver con lo que quieren saber.

Capuano continuó la charla después de enjuagar con líquido sus labios.

–Los encuentros con su madre en las oficinas de la Editorial Zúñiga, nos permitieron conocernos y acercarnos. Recordamos juntos las actividades del centro cultural y actualizamos nuestras historias hasta ese día. En alguna conversación mencionó su participación en varios talleres de literatura y composición; actividades en las que me mostré interesado y a las que me invitó entusiasta. La verdad, no soy un hombre que se haga del rogar; acordamos que asistiría a una de esas reuniones.

Empezamos a frecuentarnos en forma regular, así pude conocerla más profundamente y presentarle a mi

[5] El Popular.

familia. Mi esposa, cuyo don natural le permite captar a las personas de un solo vistazo, se mostró muy complacida con ese encuentro.

En una visita a la editorial, varios meses después, la noté muy nerviosa y no la dejé regresar sola a su casa. La atención de las visitas se hizo más aguda y penetrante, la mirada y el oído afinaron sus facultades con el objeto de no perder ni el contenido de la historia, ni los gestos del narrador.

–Avanzamos unas cuadras hasta que encontramos un auto de alquiler, durante el viaje nos limitamos a comentarios breves. Al verla tan descompuesta me sentí impedido a ayudarla; era la primera vez que perdía su apariencia ordenada y su entereza.

Al llegar a la casa salió a nuestro encuentro un hombre joven. Capuano se detuvo, miró las facciones de Víctor y le dijo: "probablemente se trataba de usted". Cáceres intentó sonreír.

–Nos acomodamos en la sala y ella empezó a relatar lo sucedido. Dijo que entre sus actividades literarias había conocido a una periodista con quien entabló una relación cordial y cercana. Por invitación de esa amiga asistió a dos actividades sociales, en la primera participaron escritores, artistas y empresarios diversos. En la segunda se presentó un sujeto cordial y afable, un tal Arthur Dietrich, parecido a Hitler. En ese convite reconoció al maestro de América[6] y a intelectuales de cierto renombre, todos ellos simpatizantes del nazismo. Ante esas circunstancias, su madre se dio cuenta que su presencia en ese lugar era una grave equivocación, por lo que optó por retirarse de inmediato. Antes de llegar a la puerta la interceptó un hombre alto,

---

[6] Fotografía publicada en la revista "Timón" mayo 1940.

robusto, y de apariencia ruda, que se presentó como Heriberto Inzbruck Osorner.

Al ser pillada en plena retirada, optó por atender al extraño con una tímida cordialidad, actitud, que si bien no despertó sospechas en el audaz sujeto, le avivó el deseo por conocerla y tratarla. Su intento de huída se complicó cuando la anfitriona se acercó y los presentó.

La incomodidad, junto con la urgencia de alejarse, hizo que Lea intentara apartarse con cualquier pretexto, lo cual, como podrán adivinar, no tuvo el efecto esperado y exacerbó en el sujeto sus deseos de conquista.

Al no encontrar una salida fácil aceptó que ese individuo la llamara por teléfono. Al día siguiente Leonor recibió la invitación de Insbruck Osorner para salir. Primero le dio largas, después las evasivas se hicieron constantes, al final lo rechazó desesperada.

Ustedes se preguntaran: ¿de quién se trataba? Pues nada menos que de uno de los miembros de la agencia de noticias Transoceanic; oficina encargada de difundir en el país las noticias en pro de los nazis y de fortalecer los vínculos con Alemania. Para ese entonces, se consideraba a México como uno de los países latinos infiltrados por los servicios secretos germanos[7].

Además, este hombre participó con Adolfo León Ossorio en los eventos profascistas que les relate.

A partir de ese acontecimiento seguí en contacto con su madre para brindarle protección. La peligrosidad de la situación me llevó a consultar a un amigo experto en cuestiones de seguridad, que me ofreció hacerse cargo del asunto.

---

[7] Referencias (6) (8) (12) .

–Hizo usted muy bien, dijo Víctor.

–No lo sé todavía. Unos días después mi amigo le pidió a Leonor que participara en las juntas y tratara de obtener un listado de los asistentes. En un principio ella se rehusó, no se sentía con deseos de realizar dicho servicio. Sin embargo, las noticias que se difundían en México sobre la matanza sistemática de judíos por parte de los nazis y la amenaza de su expansión a otras latitudes, la indujeron a aceptar una segunda petición.

–¿Se trataba de un asunto de espionaje? Interrogó Carrasco.

–Sí. Dada la confianza que había entre nosotros, me comunicó una parte de sus hallazgos. Lea frecuentó a la periodista y asistió con cierta asiduidad a esas actividades sociales, ahí conoció, según me dijo, a funcionarios, profesores del colegio Alemán, periodistas de diferentes publicaciones de la capital y de provincia, miembros de uniones y partidos políticos y a importantes empresarios; todos ellos comprometidos con el nazismo. Su trabajo consistía en identificar a cada uno de los asistentes y definir sus actividades; labor que realizó con cuidado y eficiencia.

–¿Acaso llevaba los registros en una libreta negra? Interrogó Cáceres.

–Ignoro el color. Sólo sé que tenía un apunte con los nombres y las acciones de varias figuras asociadas con el movimiento nazi.

–Esto puede ser el móvil del crimen, expresó Carrasco.

–Claro –dijo Cáceres–, a una poetisa se le acepta fácilmente dentro de un círculo de intelectuales. En ese ambiente puede actuar como un pez en el agua.

–Con el inconveniente –complementó Carrasco –de su inexperiencia.

–Alguna vez llegué a esas mismas conclusiones –respondió Capuano–, sin embargo, el hecho de que el asesinato ocurrió al final de la guerra, cuando Alemania estaba perdida, me hizo pensar que si éste fue un móvil, no pudo ser el único ni el definitivo.

–Sus dudas parecen lógicas. Apuntó Juan.

–Aún no he terminado y pasan de la una. ¿Les parece si los invito a comer?

Descendieron hasta el restaurante del hotel. La comida resultó sencilla y bien condimentada, además, ese paréntesis les permitió reposo físico y mental. Degustaron el café con lentitud, sin dejar que el líquido se enfriara.

Una vez, de regreso, en la habitación, Manuel intentó sacar, con torpeza, una botella de licor del "closed". Al adivinar sus intenciones, Carrasco se incorporó y bajó una garrafa. A los pocos segundos se habían servido licor de naranjas.

–Cuando usted –empezó a decir Capuano– describió a ese sujeto llamado Heinz, dibujo en mi mente al Insbruck Osorner que su madre me refirió.

–¿Se tratará del mismo sujeto?, preguntó Cáceres.

–No lo dudaría, añadió Carrasco.

–Creo qué el asesinato fue en abril. Interrogó Capuano.

–Abril del cuarenta y cinco –confirmó Cáceres.

–Los Alemanes estaban vencidos –respondió Capuano–, los grupos nazis en el país actuaban encubiertos debido a que, con anterioridad, México había entrado a la guerra junto con los aliados. Sin embargo, se equivocan si suponen que la organización nazi desapareció con la derrota de Alemania; esa creencia es un error frecuente. Por el contrario, los grupos hitlerianos se hicieron más cuidadosos y "menos visibles". Pero ahí están, atrás de partidos políticos, empresarios, y paramilitares, centros culturales, defensores de los oprimidos, vendedores de productos químicos, científicos, comunicadores, policías y espías.

–¿Usted cree que aún existen grupos fascistas en México?, preguntó Carrasco.

–Se encuentran instalados en muchas partes del mundo. Viven con la esperanza de regresar al poder.

El relato perdió el matiz confesional y se transformó en una charla social. Al final pactaron mantener en secreto su relación, y convinieron identificarse con la palabra clave: "C.C.C.", iniciales de sus apellidos.

Los visitantes aceptaron el compromiso de informar a Capuano sobre los progresos de la investigación. Después de una convivencia breve se despidieron.

El detective utilizó parte de la noche para examinar algunos aspectos de la historia testimonial. A la mañana siguiente, durante el viaje de regreso, acordaron que a partir de su llegada a la ciudad serían muy cuidadosos con sus encuentros.

Ahora estaban seguros que el caso transcendía asesinato; situación que los colocaba frente a peligros para los que no estaban preparados.

Capítulo siete

La moral es la doctrina de las tentaciones.

Cáceres había buscado por toda su casa la libreta negra, no le quedaba cajón sin revisar, legajo sin hojear, ni rincón inexplorado. El hombre se sentía abatido por el fracaso de su empresa, suponía que de ese documento obtendría la información necesaria para encaminar su investigación.

Se había levantado temprano –a pesar que era sábado– para repasar por los mismos lugares. Una llamada de Alejandra cambió el giro de sus propósitos y se citaron esa noche para acudir a una actividad de modas organizada por ella. Sin saberlo, abrirán un nuevo capítulo de separación obligada al que sus fuerzas primitivas se encargarán de traicionar.

Después de tomar un desayuno ligero, Cáceres se dispuso a leer el diario de su madre. El texto se había convertido en su cédula de identidad. Había leído las peripecias del viaje a México de su familia, deteniéndose en el momento en que su madre y su padre se conocieron. Tomó un vaso de agua gaseosa y continuó con el manuscrito. Leyó hasta enterarse de los detalles del encuentro entre sus padres hasta la noticia de la maternidad. Ante el relato, que anunciaba su nacimiento, experimentó un vuelco en su pecho que le impidió seguir; lo invadieron imágenes del pasado dentro de la orfandad real que vivía. Su fugaz pensamiento se retiró al mundo de inconfesables alucinaciones, donde pudo volver a ser hijo, donde los ojos de su interior se concentraron en las vistas de una familia ya inexistente. Sensación que sólo pueden revivir aquellos que heredan recuerdos y experiencias truncadas. Con ellas reconstruyen el cosmos total de una infancia; una niñez que se repite por episodios en el transcurso de toda la existencia. Víctor Cáceres Marcos, un niño alucinado dentro de un adulto infelizmente racional.

Al final de la lectura Cáceres recibió un telefonema del gerente de la compañía "C.C.C." de Guadalajara. Charlaron poco y acordaron verse la semana próxima en el céntrico Hotel Regis.

Ante la inminencia de su cita con Alejandra, las emociones encontradas de Víctor empezaron a dar señales de turbulencia. Le sobrevinieron lucubraciones absurdas, saturadas de memorias accidentadas de aquellos momentos en que se desgarraron en una catarsis violenta que, a pesar de su fuerza, no pudo derrotar la doctrina moral de sus equívocos.

Esa tarde el cielo diáfano y el sol intenso, parecían cómplices de una actitud de apertura donde nada debía ocultarse; donde la capacidad para controlarse y reprimirse estaría ausente.

Los quehaceres distractivos de Víctor alejaron temores y angustias. Cuando sus dudas se desvanecieron y la obligación de cumplir con el compromiso ocupó un primer lugar, arrancó el auto en dirección al domicilio de Alejandra. A los pocos minutos la esperaba en el pasillo del edificio. Ella se presentó vestida con elegancia, muy de acuerdo al evento de modas que estaban a punto de presenciar.

Montados en el auto y en la mitad del siglo que se iniciaba, ambos fungían como testigos inconscientes de la inauguración de una época que intentaba superar la guerra y la escasez. Nacía el "New Look", corriente burguesa que conquistaría al mundo apoyada en los caprichos de la moda. El año cincuenta se definía como el parteaguas, donde las corrientes libertarias y existencialistas se enfrentaban a las concepciones totalitarias, al consumismo y al pastoreo de los individuos.

Opuesta por completo a la guerra, la alta costura pretendía borrar el "uniforme" del panorama femenino: la mujer debía mostrar su cuerpo. Emergía la necesidad de lo veleidoso e insinuante, los vestidos descubrían las pantorrillas, la cintura se avispaba, la espalda lucía desnuda y la gente cambiaba de moral.

En el trayecto, Alejandra y Víctor volvieron a hablar del inicio de la televisión, sin sospechar que ese invento acabaría por conquistar la mente de sus futuros espectadores. Mencionaron el "nylon", que cada vez resultaba de uso más general. En el curso del breve viaje, Alejandra sacó de su bolsa un estuche de regalo y se lo entregó a Víctor. En una parada del camino retiró la envoltura y extrajo un bolígrafo de la caja.

–¡Te debió haber costado una fortuna! Exclamó Cáceres.

–Apenas las trajeron al almacén. Puedes escribir sin necesidad de cargarlo de tinta.

Halagado por tan especial regalo, Cáceres ignoraba que el bolígrafo –posteriormente llamado pluma atómica– se convertiría en el instrumento más barato de escritura.

A partir de ese año la vida diaria sería objeto de una revolución histórica, el mercado se posesionaría del modo de actuar, sentir y pensar de la gente. La moda marcaría una nueva pauta comercial apoyada en los medios de comunicación, desde el rumor hasta la política.

En el lugar de la muestra Alejandra lució su cuerpo bien curveado y excedido del busto y las caderas; peculiaridades que la hacían destacar. El espacioso salón contenía cien mesas dispuestas alrededor de una pasarela alargada. Un grupo de edecanes acomodaron a los asistentes. El desfile intentaba emular la tradición del "Pret a Porter"; para ello se habían traído muestras de Francia y España, además de las creaciones de diseñadores locales y firmas nacionales. Las modelos, durante el desfile, exhibieron en forma sucesiva crinolínas, tules, straples y corseletes. Los zapatos se sustentaban en un tacón alto de aguja, tan popular como amenazante para las alfombras y el equilibrio de las mujeres. Las tendencias dominantes eran las cinturas avispadas, derriéres entallados con amplias faldas y el lanzamiento espectacular del traje sastre femenino acompañado de sugestivos modelos de sombreros. Al termino de la exhibición los asistentes se polarizaron; calificaron las modas como audaces o ridículas. Estas demostraciones proporcionan a una parte de la sociedad su mínimo necesario de lujuria a la vez que uniforman a los ricos.

Cáceres ignoraba lo referente a la moda, sin que ello le impidiera disfrutar de los escotes notorios de algunos vestidos.

Alejandra, en cambio, estaba al tanto de cada detalle, conocía las telas empleadas en los plisados y en las colas descomunales. Esos eran los detalles del esplendor y la belleza que visten de categoría a quienes, carentes de ella, están bien provistos de dinero.

Al término de la reunión, la gente, vestida en tonos oscuros, se agrupó en torno a un amplio buffet de bocadillos. Mientras los imperturbables meseros servían Champagne, el bullicio y el parloteo dificultaban la concentración. Además, clientes y proveedores reclamaban la atención de Alejandra para saludarla y comentar con ella toda suerte de ligerezas. El don de gentes de Alejandra y sus desplantes naturales, dejaban satisfechos tanto a aquellos que la felicitaban, como a los que la criticaban; habilidad que a Víctor sorprendía.

Al final se quedaron solos en el automóvil, Alejandra lucía cansada y complacida. Víctor estaba acostumbrado a tratar en forma directa y práctica sus asuntos, ahora, obligado a fingir actitudes, ademanes y posturas, encubría con silencio su incomodidad.

Cáceres se ausentó por un instante, se dispersó en abstracciones arcaicas llenas de enfado, empezó a experimentar un resentimiento. En la medida en que esa sensación crecía, exaltaba frustraciones pasadas que lo dejaban reducido a fragmentos fallidos de su historia. Ignoraba que los resentimientos son el camino seguro para cancelar las oportunidades del presente.

Alejandra rompió con el mutismo y dijo: –"acabo de descubrir el mensaje cifrado de cada día".

–¿Cuál? Preguntó de mala gana.

–Tienes veinticuatro horas para dar significado a tu existencia. Enseguida soltó una carcajada y añadió.

–No estoy borracha, estoy feliz.

–La presentación resultó magnífica. Y tú, el eje del suceso.

–Olvídate de palabrejas, ya no hay porque actuar. Sé que acabamos de vivir una experiencia superficial, llena de mentiras. Colmada de esos embustes que nos conviene creer y hacer creer.

–¿Por qué dices eso?, reaccionó Cáceres ante los irreverentes comentarios de una experta en modas.

–¿Quieres una explicación o una lista de falsedades?

Ante la actitud mordaz de su compañera, Víctor la dejó hablar.

–Ningún vestido puede hacer a una mujer hermosa. Un precio caro no le añade "clase". Tampoco existen colores feos o bonitos; ni siquiera hay cosas masculinas o femeninas. La moda crea belleza, genera atributos a las cosas, las anima y cambia el contexto.

–No tengo humor para discutir ¿Vamos a tomar un copa?

–¿Más alcohol?

–Entonces un café.

–Llévame a donde quieras. Prefiero la copa.

Cáceres se dirigió al bar del Hotel Emperador. Repentinamente, los faroles y todas las luces a su alrededor se apagaron, los semáforos dejaron de funcionar y la oscuridad se enseñoreó. Alejandra se acercó a Cáceres. El sintió la proximidad de su cuerpo y le preguntó si tenía miedo a la oscuridad. Ella respondió con timidez: "a veces".

Alejandra temía a la noche. A la noche de la vida. Temía a la soledad extrema, le acobardaban los abismos y los finales.

A los pocos minutos se hallaban en el bar con una copa entre sus manos y sin nada por qué brindar. Callaron antes de beber, evitaron decir "salud" antes de tomar el licor. "Sólo aquellos que no tienen por qué brindar dicen "salud"". Pensó Víctor. Las dos copas chocaron en honor a su misterio. El apagón, de unos momentos antes, desconectó en ellos la idea natural de la continuidad, dejándoles la sensación de que la vida puede ser interrumpida.

Las suspensiones de energía que, por lo general, sólo se toman en cuenta por las molestias que producen, rara vez hacen pensar en los apagones que sufre nuestro interior. Hasta hace unos instantes, Víctor y Alejandra concebían su vida como un continuo libre de interrupciones.

¿Pero qué sucede cuando se corta de tajo una parte de nosotros mismos? Cuando se pierde algo muy valioso, como los ojos o a un ser querido. No menos drástico, como insólito, resulta la pérdida abrupta del pasado. En ese momento, tomados por sorpresa, Víctor y Alejandra experimentaron el colapso total de su pasado y se quedaron con un solo recurso: ellos mismos.

Sin la ficción de la continuidad y despojados de todo, excepto de sus personas, podían decirse la verdad: su verdad.

La noche, noche de interrupciones y de verdades, se abrió ante ellos para dejarlos, apenas, con su desnudez interior. La música acompasada de un bolero que interpretaba el piano, sustituyó la imposición de comunicarse. Víctor tomó la mano de ella para besarla, cuando estaba a punto de acariciarla con sus labios, la soltó. Se levantó de su asiento forzando a que Alejandra se pusiera de pie frente a él. La tomó de la

cintura y pegándola contra su cuerpo la besó en la
boca.

A pesar de que prevalecía la media luz en el
ambiente, la pareja concentró la atención de los asistentes al bar. Situación que, contraria a todas las
expectativas, no produjo remilgos ni disimulos en
esos cuerpos unidos, cuya consciencia acusadora
había dejado de actuar.

El camino de la entrega, vigilado en un principio,
permitía entrar a dos caminantes que habían pagado
el peaje.

Víctor dejó un billete de veinte pesos sobre la mesa;
con Alejandra tomada del brazo se dirigió a la recepción del hotel para solicitar un cuarto. Se registró con
rapidez y liquidó en efectivo. Un *botones* los condujo a
la habitación. Antes de abrir la puerta, Cáceres despidió al muchacho con una generosa propina. Alejandra
traspasó el umbral.

Solos en la recámara, dispuestos a menospreciar los
beneficios de la civilización, se quedaron a oscuras y
no necesitaron de la claridad. Cáceres descorrió la cortina de la ventana y ambos miraron las luces de la ciudad. Un halo de vapor se desprendía de las farolas; la
lluvia humedecía la noche.

Permanecieron estáticos, suspendidos en la perspectiva de sus visiones. Cuando dirigieron la atención
hacia sí mismos, se abrazaron y, como parte del mismo
rito inaugural, no se dijeron nada; en cambio, se perdonaron sin implorar; se perdonaron para terminar
con la vigencia del pasado, reduciendo toda su historia a nada.

Trataron de vivir ese presente, como si dentro de la
nada existieran únicamente ellos, dejaron el tiempo
afuera e iniciaron el acto primordial.

Actuaron su episodio de amor como la sinrazón de su vida. Después de un abrazo, Alejandra rompió la camisa de su compañero y besó su pecho. Transformados en los únicos habitantes del planeta, no sintieron la necesidad de adueñarse de las cosas. Lo tenían todo, podían hacerlo todo. Capturada por sus brazos y convulsionada por su energía creciente, Alejandra alcanzó los labios de su compañero para retener, en el contacto, el goce húmedo. La poca luz que penetraba por la ventana, apenas permitía observar el perfil nimbado del cuerpo desnudo de Alejandra. Cáceres la miraba y acumulaba energía en su materia, se hacía más denso, se vigorizaba. Sus átomos se comprimían, para que tras el gatillo disparado por las ansias, se expandieran en toda dirección.

Sus ofendidas historias dejaron pasar al *"obsceno grandioso"* que habían encarcelado y sujetado, sin saber que al contenerlo en una prisión, habían perdido el sentido vital de su naturaleza.

Transpiraban, ella encima de él. El pelo de ella caía sobre la cara de él acariciándolo en un vaivén corporal.

El corrió con lentitud su mano hasta el vértice femenino de las piernas. Al sur, en el lugar donde los ríos desembocan y forman la cima del único volcán de agua del cuerpo, ahí descubrió que el ojo del manantial lo esperaba.

Sintió en sus yemas la humedad y deslizo con suavidad sus dedos por el abrupto canal. Rozó la escolta de cordilleras que convergen en la punta del placer, donde el espíritu se convierte en carne.

El ascenso por los riscos y el follaje la llevó hasta las alturas donde las nubes miran hacia abajo, donde la soledad se torna exquisita por un instante. Las vísceras se encogen, el tórax se carga de aire dejando que el vientre sufra los espasmos del placer. En ese momento es necesario sentirse penetrada para gozar el encuentro. Porque el encuentro con *lo otro* da sentido, obsequia significado.

Víctor acercó su boca al vientre de ella, buscó con los labios la cumbre perdida, como un explorador sin mapa guiado apenas por su intuición, internó su lengua en la carne siguiendo la ruta dorada del cráter a la cúspide. Alejandra abrió las alas, sus hondas respiraciones se acortaron. El llenó con sus dedos los orificios más próximos. Ella se estremeció, dejó salir una gran parte de la energía que le restaba por las fuentes límbicas de su cuerpo.

Él levantó su cabeza para verla y gozó de ella, se complacía de sus contorsiones y desfiguros. El "*grandioso obsceno*" les había revelado su identidad.

La penetró y la abrazó, se sintió dentro de ella montado en su deseo encarnado, se admiró de ese momento, donde la realidad dejaba muy atrás a la magia.

Llegó un momento en que no comprendió nada, dejó libre su cuerpo lleno de fluidos a punto de dispersión. Tras la explosión de su ser se hizo la luz. Conjugados en una biología compartida quedó en el vientre de ella el destino de su semilla.

En la alzada de su vuelo las dos aves persiguieron las alturas; el aire se enrareció y la tierra de la realidad quedó distante. Habían descubierto su nuevo mundo. Se abrazaron en pleno ascenso y cuando no pudieron elevarse más: cayeron, se derrumbaron juntos.

El posó los labios sobre la piel erizada del cuello de ella. La emoción incontenible y desbordada de esa mujer le hizo clavar sus garras sobre la espalda del hombre que la cobijaba. Mientras él sangraba, sin experimentar dolor, ella dijo las únicas palabras de la noche, lo único que necesitaba decir: –"hoy para mí es siempre".

Tras esas palabras, él vio que llovía en el continente descubierto, tocó con sus labios el agua y tragó sal, hundió su cabeza al lado de ella y abrío el dique de sus ojos.

Si la vida es digna de vivirse poco importaba. Para ellos, todo, absolutamente todo, podría reducirse a esa noche.

Poco a poco los sonidos del cuerpo se convirtieron en murmullos, se desvanecieron para terminar en los terrenos de un sueño inconstante y breve.

La luz de la mañana despertó a Cáceres. Abrió bien sus ojos y miró la silueta desnuda de su compañera; se tocó la cara y sintió su barba crecida y punzante. Sus manos despedían un olor diferente: yemas con aroma de mujer.

Se volvió a recostar con desparpajo. Cuando Alejandra abrió los ojos, él preguntó la hora. Ella lo miró sin contestarle, se dirigió hacía el buró, tomo el reloj y, sin intentar leerlo, lo lanzó contra la pared haciéndolo pedazos.

Deslizaron sus cuerpos y emprendieron de nuevo su singular viaje, montaron la nave para ejercer pecados imperdonables: libres de culpa.

Trazado en la biología de los reflejos, el gozo abierto y sin fronteras se adueñó de ellos. Experimentaron esa alegría que permite enseñar las partes más genuinas. Al comportarse como dos seres totales, el disfrute no se limitó a una parte del cuerpo, sino que reaccionaron como individuos sin educación y, por lo tanto, sin prejuicios. En la sencillez de sus actos, prolongaron el deseo de estar juntos por encima del de la complacencia.

Roto el sortilegio de lo insondable, desnudos y sin misterios, empezaron el diálogo. No se dieron cuenta que a través de las palabras regresarían al mundo de su realidad inventada. A causa del verbo su parte animal quedará invalidada. Por las sutilezas del raciocinio, ocuparán, poco a poco, un lugar entre los falsos dueños de la naturaleza, la vida, y el cosmos. Descubrirán un asterisco en el texto de la existencia, que los obligará a tener presente que el hombre no se apropió ni descubrió las mitologías: las inventó.

Ese extraño y rebelde animal que habla, que usa el lenguaje para moverse a través del espacio y el tiempo; vive en la contradicción impuesta por la dualidad permanente con la que está construido. No se da cuenta que las cosas son ellas mismas y otras a la vez, son buenas y malas, espantosas y hermosas, pecados y virtudes, masculino y femenino; todo ello contenido en uno mismo. Las contradicciones de Víctor y Alejandra, tendrán que ser vencidas por nuevas contradicciones.

Los dos se bañaban bajo el agua de la regadera, él sintió un chorro caliente que nacía entre las piernas de ella. Recorrió sus hombros con la boca. Sus restos agrestes aún resistían.

A la salida del hotel, Cáceres trataba de ocultar la camisa desgarrada tras su saco abotonado, sentía vergüenza. Empero, era demasiado tarde, había mordido la manzana.¡Bienvenido a la civilización!

La entrada de Cáceres a su casa en forma subrepticia no evitó que Pablo lo descubriera; lo esperaba con impaciencia. Las últimas actitudes del patrón lo desconcertaban, su conducta le resultaba insensata e impredescible.

Durante la tarde del domingo Cáceres intentó comunicarse con Alejandra; sentía la necesidad de estar con ella; el bloqueo del teléfono lo obligó a aplazar la urgencia.

Al otro día, su presencia en la oficina obedeció el guión de la rutina. La costumbre le ayudó a ignorar el ruido del trabajo mecánico de la planta de producción. Una vez acomodado frente a su escritorio buscó, telefónicamente, a Alejandra en su trabajo; ahí le informaron que se encontraba en otra ciudad coordinando una presentación de modas. Agradeció el dato y recobró la tranquilidad.

Cáceres se ciñó a su disciplina, la labor resultó envolvente y le obligó a cumplir con sus funciones directivas.

Un problema en las tinas de cromado reclamó su atención por más de una hora. Revisó temperaturas y concentraciones de metal, cuando regresó al despacho, la secretaria le entregó una carta sin sellos. Reconoció la letra. Ordenó que no se le interrumpiera, cerró la puerta y se dispuso a leer.

Víctor:

Fue hermoso, tal vez demasiado.
La incógnita se desvaneció. Me convencí de que siempre te amé y que no podré querer, de esa manera, a alguien más.
Me di cuenta que con ese día, único en verdad, puedo llenar el resto de mi vida.
No estoy segura de que pueda haber algo más para mí.
Tengo miedo, miedo de que la vida ya me lo haya brindado todo. Aquél día y siempre son lo mismo.
Necesito estar sola. No me busques.

Alejandra.

Sentado en su sillón de mando, solitario, más que nunca, se desanudó la corbata y tomó la carta entre sus manos; miró la escritura y leyó la firma. Pronunció el nombre de ella, sintió que para él también había sido hermoso, pero esperaba más. "¿Por qué?" –se preguntó y siguió pensando–. Después de lo que sucedió entre nosotros. ¿Por qué convertir aquella noche en un adiós? Víctor Cáceres había concebido su historia de amor como un acto total, había desafiado la lógica y la razón. Se había esmerado en develar, descubrir, y resolver los inconvenientes de su cariño. Cuando creyó tener la respuesta, una carta, unas palabras, fueron suficientes para renovar su alianza con lo inesperado.

Después de esa noche secreta y silente, en que los dos habían desovillado las respuestas a sus incógnitas y entresacado de sus entrañas la réplica de su querencia reprimida, el que su amor estuviese al descubierto parecía haber cambiado la perspectiva de su relación: los alejó en lugar de unirlos.

Cáceres coligió que lo escondido jugaba un papel esencial en Alejandra. Su temor de que nada nuevo ocurriera entre los dos significaría un yo ausente en un cuerpo vivo. La expectativa de convertir su vida en variaciones del mismo tema, dejaría de lado lo que para ella constituía lo más auténtico de una relación: su carácter azaroso y libre. Cáceres siguió el cauce de ese pensamiento y entendió el miedo de Alejandra a una vida exhausta, agotada por la certeza. Guardó la carta en su bolsillo y esperó en su oficina hasta el final de la jornada. Durante el viaje de regreso a casa se preguntó si podría amar más de una vez en la vida. Con su compañera ausente, renunció a la respuesta y apretó el acelerador hasta el fondo.

Capítulo ocho

Odiarás a tu prójimo como a ti mismo

México D.F. junio 1950.

Si los hombres ocupados hubieran podido vencer la soledad con sus quehaceres y trabajos; hoy el mundo se poblaría con gente feliz. Pero los vínculos que hablan de "*tú*" a los otros, lejos de obedecer normas impuestas por una sociedad, surgen del interior de los humanos como resultado de fuerzas internas y libres. Juan Carrasco era un hombre tan ocupado como solitario. Ágil y sagaz, agregaba a sus treinta y un años –bien vividos– su experiencia en el cuerpo de policía.

El interés que mostraba por el esclarecimiento del asesinato de la señora Marcos desembocó en hipótesis divergentes. No descubrió motivos económicos, odios, celos o actividades propiciatorias de tal hecho. Ante la inconsistencia de sus datos, llegó a considerar que podía tratarse de un crimen perpetrado por expertos o por una mente pervertida.

Desde su entrevista con Capuano, se dedicó a verificar algunos puntos del relato. Su comportamiento profesional le exigía no confiar en nadie, tampoco Cáceres quedaba al margen de ese principio.

Ante la tormenta de inquietudes, Víctor añadió nuevos motivos para el desvelo, enfermedad que poco a poco se apoderaba de su descanso. Esa noche los pensamientos y recuerdos de su madre y Alejandra, se transformaron en obsesiones que agudizaron temores y desvaríos. Intentó dormitar, padecía de un insomnio a ratos que lo dejaba dormir –tan sólo– para despertarlo más tarde. Durante ese malsano juego, navegaban por su cuerpo pulsiones, sensaciones, reacciones, y los fantasmas de un yo desconocido. La combinación de placidez y desesperación, convertía la noche en el cielo y el infierno visitados varias veces en el curso de unas horas.

Sumido en su estupor y sin la energía para incorporarse por la mañana, la costumbre obligó a Cáceres a cumplir con puntualidad con sus obligaciones; no ignoraba que el cansancio y la pesadez le cobrarían la factura el resto del día.

Ocupado en la planta de manufactura, escuchó el programa de trabajo del gerente de producción que, entre muchas cosas, le propuso prepararse para la fabricación en serie. El empuje que se le daba a la industrialización y a la modernidad, tenía el propósito de transformar el México agrícola y extractor de materias primas, en un país manufacturero e industrial. Dicha filosofía se planteaba en cualquier nivel y formaba la bandera del gobierno.

Avanzada la noche, Víctor se dirigió al domicilio de Carrasco. En la sala, algunos enfermos esperaban la consulta. Cuando la puerta se abrió y el médico lo identificó, ambos fingieron indiferencia.

Carrasco se desocupó muy tarde e invitó a su compañero a cenar, en medio de los platillos entreveraron los necesarios comentarios "sin importancia" que, por lo general, anteceden los asuntos relevantes. Víctor comentó el hallazgo de las memorias de su madre. Describió algunos de los pasajes que había leído, provocando el interés del detective en el material. De inmediato puso el documento a su disposición y acordaron revisarlo juntos durante el desayuno.

Enemigo del descanso, aliado de la angustia, el insomnio se apoderó de nueva cuenta de Cáceres. Después de unas horas, se vio dentro de una vigilia extemporánea que lo llevó a la lectura del diario de su madre.

En forma gradual pasaron a través de sus sentidos figuras, sonidos, y los aromas de una vida narrada; relatos salpicados de historia, humor e intimidad, que le recordaron la parte irreversible de su vida. Le asaltó la sensación de que su madre vivía; entonces se despojó de todas las identidades agregadas y se quedó con una: la de hijo.

En el curso de la lectura, las anécdotas se desvanecieron y tomó su lugar la descripción trágica de la muerte del doctor Francisco Cáceres, su padre. Lo inesperado del deceso –producido por un aneurisma craneal– convirtió las palabras en afiladas puntas que acabaron por herir su espíritu sensitivo.

El temor de acabar despierto la noche le obligó a intentar dormir. La fatiga, que no siempre está en nuestra contra, hizo su faena; le provocó un sueño profundo y reparador.

El timbre de la entrada sonó pasadas las nueve, se trataba del doctor Carrasco. El chofer lo condujo a la sala y le pidió que esperara cómodamente instalado. Pablo se dirigió a la cocina para ordenar a su mujer que preparara un café. María Engracia sirvió una taza y la llevó a la visita. Al identificar al policía que la había interrogado en aquellos penosos momentos del accidente, perdió ligeramente el control y se sintió atrapada. Intentó sobreponerse y se limitó a ofrecer la bebida; Carrasco la reconoció de inmediato y se dirigió a ella.

–¿Cómo ha estado señora? ¿Me recuerda?

Un "sí" titubeante salió de sus labios y de inmediato agachó la mirada. Se sentía apenada frente a él; impulsada por una intensa curiosidad le preguntó: "¿qué lo trae por aquí?"

–Hace mucho que no soy policía. Me dedico a investigar enfermedades. Soy médico.

Confundida, y con palabras entrecortadas, se ausentó con la excusa de que preparaba un guisado.

Cáceres llegó precipitado ofreciendo disculpas. Sin tardanza le mostró el diario de su madre, motivo de la reunión. Culpable aún por la demora, a pesar de las muestras de comprensión, lo invitó a almorzar. A esa hora el estómago vacío los incomodaba.

María Engracia estaba preparada para atenderlos. Julio jugueteaba por la cocina y miraba con recelo al extraño. Su madre, en extremo atareada, le pidió que llevara una canasta con pan caliente a la mesa. Carrasco miró al niño y memorizó sus facciones, sabía que trataba con el hijo del criminal a quien debía capturar.

El rápido desayuno deleitó sus paladares. Después de agradecer a la mujer sus servicios, se incorporaron para dedicarse a la investigación. Carrasco le pidió sus impresiones sobre el diario. Víctor respondió que se trataba de un relato autobiográfico, sin datos orientadores sobre el crimen. El detective empezó a hojear las hojas mecanografiadas y notó que la escritura no procedía de la misma máquina.

Sentados frente a frente Víctor esperó a que Juan tomara la iniciativa y sugiriera la acción a seguir. Al cabo de un tiempo, Carrasco se dispuso a iniciar el estudio del documento. Empezó a recorrer con la mirada las palabras, deteniéndose en uno que otro párrafo. El orden cronológico de la obra le permitió hilvanar fechas y acontecimientos.

–¡Lo encontré! –expresó Carrasco después de un largo lapso. –Este es el primer personaje que reconozco. –Aquí se menciona a Zúñiga.

Víctor seguía confuso; desconocía el significado de esa observación y se limitó a seguir como testigo perplejo del detective.

El desconcierto, que suele ser una molestia de duración variable, en este caso duró dos horas. Carrasco trabajó como si estuviera solo sin intentar involucrarlo. Éste, al sentirse ignorado, se dedicó a leer el periódico y a tomar varias tazas de café.

–¡Aquí está! Gritó Carrasco incorporándose.

–¿Aquí está qué? Dígalo Juan.

–Tome– le dio el documento a Cáceres. –Lea el párrafo en voz alta.

...Tolvaneras, mi última colección de poemas publicada por la Editorial Zúñiga, fue recibida con beneplácito por críticos y líricos intelectuales. Entre ellos, Sonia Ferro, perio-

dista con la que he logrado cultivar una excelente amistad y a quien agradezco la publicación de palabras elogiosas en las dos revistas para las que trabaja.

Cáceres dio vuelta a la hoja.

Escribir como extensión del pensamiento, resulta difícil; tratar de hacerlo como expresión del sentimiento: casi imposible. ¿Se pueden exprimir emociones a las letras? Hacer que las palabras expresen lo que siente quien las escribe. Confieso que aún guardo la duda.

Carrasco tenía la corazonada de que esa periodista le daría datos sobre el grupo nazi. Lejos de mostrar entusiasmo, Cáceres se quedó sentado y callado. Carrasco le preguntó si se sentía indispuesto.

—Me enferma lo que podemos descubrir. Las revelaciones de Capuano nos pueden llevar mucho más lejos de lo que había pensado, además, últimamente no me salen bien las cosas.

—¿A qué cosas se refiere?, cuestionó el detective.

—Se trata de....de Alejandra.

Juan aguzó sus especiales dotes de análisis y escrutinio. Víctor empezó a relatar sus últimos encuentros con Alejandra, y describió –con ofuscación– la ruptura inexplicable y su desaparición.

Carrasco le dirigió palabras de consuelo y de apoyo, a la vez que renovó, en su interior, viejos cuestionamientos y sospechas sobre su posible participación en el secuestro.

—¿Le relato Alejandra lo sucedido en el "accidente"?

—Sí. No creo que me haya dicho algo diferente a lo que ya sabe.

–Tengo una copia de su declaración, me gustaría que la cotejara ¿Conoce la versión de María Engracia?

–Ni siquiera le he pedido que narre su historia. ¿Debo hacerlo?

–No –Carrasco sonrió–, considérelo una curiosidad.

El detective se quedó con el diario para estudiarlo, antes de retirarse, Cáceres lo invitó para la próxima sesión espiritista. El detective le advirtió, de nuevo, la conveniencia de mantener oculta su asociación.

Al día siguiente, Víctor Cáceres retomaba las riendas de la empresa. La habilidad de sus colaboradores contribuyó para que la fábrica siguiera su ritmo normal en la mayor parte de las áreas, excepto en aquellas que dependían en forma exclusiva de sus decisiones. El trabajo rezagado le reclamaba varias jornadas para ponerlo al corriente.

Hacia las ocho y cuarto Víctor salió rumbo a la casa de los Alba para perseguir a su destino. Don Rafael y su hermano el general lo recibieron con familiaridad. Cáceres pasó a un salón donde un grupo trabajaba con la "ouija", ahí permaneció hasta que una persona anunció el próximo inicio de los trabajos de materialización.

El cuarto diseñado para evitar la filtración del más minúsculo rayo luminoso, tenía dispuestos a su alrededor una serie de asientos que la gente ocupó. En cuanto se acomodaron, recibieron la orden de tomarse de la mano para formar una cadena de energía. La luz se apagó. Transcurrieron quince minutos sin que nada se presentara, mientras tanto, los sonidos de las respiraciones y los chirridos de los cambios de posición se hicieron notorios.

De repente, un ser oscuro golpeó el piso y tocó a varios de los asistentes; el conocimiento previo de estos incidentes evitó el desorden. De nuevo reinó la calma por un breve lapso. En medio de una nube luminosa se perfilaron los contornos de un ropaje femenino; enseguida se formaron la cabeza y las manos de una mujer. La figura se acercó a uno de los presentes que, emocionado, la identificó como su esposa. El ente brillante permaneció por varios minutos al lado del marido y finalmente se despidió con un beso al aire.

Más tarde se manifestó el maestro del Castillo; sacó unos lentes de metal de su estuche y se los colocó a Cáceres sin el menor titubeo. Víctor, sorprendido por la maniobra, se mantuvo en la misma posición hasta que el maestro desenredó los alambres que rodeaban sus oídos; finalmente la figura saludó con una reverencia y se desvaneció en el techo.

Siguió la presentación del maestro Amajur que, con actitud benevolente, bendijo a quienes se lo pedían. Algunos miembros le atribuían poderes curativos. Con leves y certeros movimientos lanzó sus fluidos hacia las partes afectadas de los enfermos. Tan pronto como se esfumó el espíritu sabio, irrumpieron en el cuarto una docena de luces flotantes que describían trayectorias erráticas a través del espacio. Cada una de ellas hizo sonar una campana. Antes de retirarse, una de las entidades tomó el tambor del piso, lo iluminó con su aura y tocó un redoble; finalmente lo dejó caer —con suavidad— muy cerca de los pies de Víctor.

Habían pasado dos horas. Don Rafael dio por terminada la sesión y pidió a sus compañeros que esperaran hasta que el médium, Luisito, despertara. Al completar el paréntesis transitorio, pasaron a servirse del buffet.

Víctor Cáceres salía cada vez más asombrado de lo que veía y, aunque deseaba exteriorizar sus dudas, se limitaba a aparentar una entereza y suficiencia que no tenía. Se mantuvo circunspecto y propio al igual que el resto del grupo. Esperó para firmar el acta de la sociedad y se retiró de inmediato.

La vida de Cáceres se había transformado en un martirio administrado a cuentagotas, la ausencia de Alejandra y su corazón desgajado amplificaban sus males. Durante la vigilia, su inconsciente le lanzaba frases que se repetían como ráfagas en su interior: *"necesito estar sola"*, *"no me busques"*.

En su desolación, Cáceres se negó un final tan paradójico, tan lejos de sus expectativas y tan cerca del caos. Trató de escapar de sus reflexiones y empezó a efectuar cálculos: los números lo distraían.

Direccionadas sus ideas hacia la caza de cifras precisas, un pensamiento le recordó una pregunta de Carrasco: ¿Conoce la versión de los hechos de María Engracia?

–"No" –se contestó en voz alta y siguió cavilando. –"No lo consideré importante". Sin embargo, los datos que ella podía aportar enriquecerían su investigación.

Se levantó del sillón y bajó a cenar. En la cocina se topó con Julio que lo miraba callado. –"Llama a tú mamá", le dijo seco–. El niño desapareció y se presentó María Engracia; ante la orden de traer la cena apresuró sus movimientos.

Al cabo de unos minutos las viandas se colocaron en la mesa. Los condimentos, traídos en episodios por el niño, recibieron la seriedad del silencio.

En el comedor bien iluminado Cáceres comía desganado un pan endulzado; se sintió protagonista de un teatro absurdo, sin sentido; miró a su alrededor los muebles de caoba y nogal estilo Chipendale y observó los detalles de las patas, cuyos tallados en forma de garras de águila nunca llamaron su atención.

Le rodeaba un ambiente de elegancia que a nadie interesaba; esa armonía externa carecía de significado y la veía con indiferencia. Al cabo de un tiempo, que nada importa cuánto, María Engracia se convirtió en el blanco de sus pensamientos.

La mujer dejó otro platillo y se retiró; Cáceres probó unos cuantos bocados y evitó a toda costa la reflexión. Al final, el peso de sus esfuerzos cedió ante los impulsos: llamó a la sirvienta.

—Mari, siéntate aquí por favor. Le señaló una silla a su lado.

La mujer permaneció de pie expectante y defensiva, hasta que el patrón le pidió de nuevo que se acomodara. Confundida por lo insólito de la situación, esperó de pie sin obedecer.

Cáceres se levantó en busca del niño para pedirle que se metiera en su cuarto. Regresó al comedor y le insistió a María Engracia que tomara asiento.

—Mira María, investigo por mi cuenta la muerte de mi madre. ¿Sabes a qué me refiero?

La mujer hizo un movimiento afirmativo y el señor continuó.

—Necesito que me cuentes lo que sucedió.

Los dos se miraron para prolongar una pausa, producir un intervalo, y crear entre ellos el paréntesis que antecede la decisión. Por unos momentos dudaron de sí mismos, callaron, se llenaron de dilemas. Cáceres le pidió que hiciera un recuento minucioso de aquellos hechos. En un gesto fugaz ella miró los ojos de Víctor, agachó los suyos por un instante y empezó a hablar.

—Viajábamos para Cuernavaca su madre, la señorita Alejandra, Pablo y yo. Después de una curva un carro blanco se atravesó y nos obligó a detener el coche para no chocar. Se bajaron tres hombres con pistolas, golpearon a Pablo y lo dejaron tirado al lado de la carretera; a nosotras nos llevaron a la fuerza.

Dijeron que sólo querían hacernos unas preguntas; nos taparon los ojos para llevarnos hasta una casa en la montaña. Allí nos encerraron a cada una en un cuarto diferente.

—Espera un momento —interrumpió Cáceres sorprendido—, repite eso.

—La verdad no sé lo que le paso a su madre, yo me quedé sola.

—¿No te encerraron con Alejandra?, preguntó Cáceres insistente.

—No, yo estuve sola.

Cáceres turbado, por la falta de coincidencia con el relato de Alejandra, le pidió que continuase.

—Donde yo estaba no había ventanas ni luz. De repente entró un hombre borracho, cerró la puerta y me persiguió por los rincones; me dominó a golpes y abusó de mí.

La fluidez del relato se interrumpió, primero, por la voz temblorosa, después, por el sollozo de la mujer. Cáceres esperó conmovido a que las lágrimas desaparecieran.

—Estuve encerrada hasta que la niña Alejandra abrió la puerta; no la vi con claridad porque el relumbrón no me dejó. Me jaló y corrimos hacía unos matorrales, de ahí nos escapamos por el campo.

La prudencia aconsejó a Cáceres una actitud de reserva, además, su interior, experto carcelero de sentimientos, acentuaba su férrea pasión por el control, de lo contrario, hubiera expelido un alarido mezcla de espanto y decepción. El efecto paradójico de la descarga emocional hizo que María Engracia experimentara la necesidad de hablar.

–Corrimos hasta cansarnos, llegamos a un río donde nos metimos para beber y limpiarnos la tierra que traíamos pegada. El sol se ocultaba. Teníamos miedo de pasar la noche en esos terrenos, caminamos con prisa hasta que entramos en un pueblo donde la gente nos dio de comer y nos ayudó a regresar a la capital.

–¿Y por qué te quedaste con el niño?

–¿Qué culpa tenía la criatura?

Cáceres, después de un silencio, le agradeció su colaboración. Ella se retiró sin preguntar nada. Víctor permaneció en la misma silla, agobiado por nuevas dudas sobre Alejandra. La falta de correspondencia entre ambos relatos, podía deberse a que una de las dos mentía, situación muy grave, o bien, podía tratarse de inexactitudes y omisiones entrampadas en la memoria de las protagonistas; posibilidad del todo comprensible. De la información recién recibida surgió en la mente de Cáceres la urgente necesidad de hablar con Alejandra. Deseo legitimado por sus dudas.

Capítulo nueve

El mal transforma al mediocre en héroe

Después de una semana de trabajo Carrasco pudo localizar a la periodista Sonia Ferro, colaboradora de la sección cultural de un matutino. Tras diversos intentos por contactarla, logró que le concediera una cita.

Dos días después, el detective se preparaba para la entrevista; llevaba un escrito con breves preguntas. Viajó en su auto por algo más de media hora rumbo a una vieja colonia del sur, célebre por conservar una atmósfera colonial. Su desconocimiento de la zona le hizo recorrer callejuelas angostas y enredadas.

El número que buscaba correspondía a una vieja construcción de piedra con un pórtico enorme de madera labrada. Tocó el timbre y esperó. Un mozo, de aspecto indígena lo recibió y lo condujo hasta una sala mal iluminada, decorada con muebles de talla antigua. El aspecto sombrío del lugar impresionó a Carrasco, tenía la sensación de visitar un museo. Por doquier se apreciaban adornos religiosos y pinturas antiguas, el mobiliario delataba el gusto barroco de los propietarios.

Sentado en un cómodo sillón, el detective esperó, con cierta impaciencia, la aparición de la periodista.

Fumar, placer de morir a plazos, distracción atenuante de angustias, y vicio devorador del tiempo expectante, entretuvo a Carrasco, quien consumió varios cigarrillos antes de iniciar la entrevista.

Sonia Ferro se presentó. Se trataba de una señora mayor vestida en tonos oscuros y de apariencia muy pulcra. Su figura, en extremo delgada, se complementaba con facciones gastadas y duras que, a pesar del maquillaje, revelaban el paso de los años.

–Buenos días, señor...

–Doctor Juan Carrasco.

–¡Ah sí!, –dijo con teatralidad, como si se tratase de un olvido momentáneo. –¿En qué puedo servirle?

La señora se mantuvo de pie, lo que obligó a que Carrasco iniciara el diálogo parado e incómodo.

–Tiene obras de mucho valor, muchas de ellas son en verdad exquisitas. Ese paisaje por ejemplo. Señaló un cuadro en la pared.

–¿El Velasco?

–¿José María Velasco?

–Herencia de familia.

El corte inesperado de las observaciones del detective, así como sus oportunos halagos, actuaron como lubricantes sobre una relación que anticipaba fricciones. La cortesía del intruso indujo la hospitalidad en la mujer; se acomodaron en diferentes sillones y continuaron la conversación.

Sonia Ferro, mujer sexagenaria, arrugada y morena clara, lucía su pelo negro enchinado a la usanza de la moda; un lunar prominente en su mejilla derecha le daba un discreto toque de repugnancia, al cual acabó por adaptarse el médico.

—Aparte de la pintura, señor.... recuérdeme su nombre por favor.

—Carrasco, doctor Juan Carrasco.

—¿Qué otra cosa lo trae aquí?

—Como le mencioné por teléfono, realizo una investigación académica para obtener mi título de postgrado en medicina legal.

—Le confieso —empezó a decir la mujer con voz engolada —que en esos campos soy una perfecta ignorante. No tengo idea en qué puede ayudarle una periodista especializada en eventos culturales.

—No pretendo su consejo profesional, sino, ...¿cómo le diré? Llamémosle "una evocación histórica".

La señora Ferro se mostró curiosa y pidió una explicación. El detective, obligado a contestar dijo: "mis trabajos versan sobre actos criminales cometidos en mujeres, especialmente los relacionados con el asesinato".

—Me pone usted nerviosa con lo que dice, afirmó sobresaltada.

—Por favor no se angustie —replicó Carrasco fingiendo modales exageradamente preocupados. —Le menciono esto como antecedente; se trata de un trabajo científico, de otra manera no me hubiera atrevido a solicitar esta entrevista que de antemano le agradezco.

—Aún no logro comprender en que puedo ayudarle, dijo nerviosa.

–Usted, entre muchas otras cosas, se ha distinguido por difundir la creación cultural femenina. Al revisar los archivos del forense, se menciona el dramático caso de una conocida o amiga suya, descubierta sin vida en los parajes montañescos de un estado vecino.

–¿De quién habla? Preguntó asustada.

–Del asesinato de una poetisa.

La entrevistada endureció sus facciones para evitar manifestar alguna emoción. El detective se limitó a seguir el hilo de su pensamiento e imprimió a sus palabras un matiz de hipócrita inocencia.

–Se trata de Leonor Marcos –al decir el nombre, Carrasco fijó la vista en la periodista– espero que la recuerde.

A la acción calculada, siguió una maniobra de disimulo mediante la cual, la interpelada tomó un cigarrillo de la mesa evadiendo la mirada inquisitiva del molesto visitante.

–Tengo entendido, –siguió Carrasco– que hubo una estrecha relación entre ustedes dos.

–Estrecha no –corrigió–, la traté por razones propias a mi ocupación. Recuerdo haber publicado una serie de reseñas y gacetillas donde analizaba su obra poética. Mi relación con ella fue circunstancial e impersonal. Debido a mis actividades he conocido a tanta gente que recordar detalles sobre ellos me resulta imposible.

–Muy justificable.

–La señora Marcos –empezó a responder la periodista –era una mujer brillante y sensible. Construía sus poemas como parte de sí misma, en ellos reflejaba la vitalidad de su persona; no había divorcio entre ella y su obra. Coincidimos en actividades sociales, las cuales pudimos compartir de manera muy superficial.

–¿Recuerda alguna de esas reuniones?

–Comprenda que han pasado muchos años.

–Le suplico que lo intente.

Tras unas bocanadas de humo, la periodista empezó a referirle que se trataban de actividades poco formales, a las que asistían muy diversas figuras, desde coleccionistas de arte, hasta filósofos y curiosos.

–Eran días de guerra.

–Difíciles. Pero la cultura sigue su curso.

–Usted colaboró, eventualmente con la revista Timón. Debió haber tenido el privilegio de conocer a su director: el maestro Vasconcelos[1].

–Lo admiré.

–Una gran figura sin duda. Sin embargo, su filiación a la ideología nazi lo alejó de las simpatías de muchos.

–Vivimos en un país libre.

–Era sólo curiosidad. ¿Cuándo se enteró del asesinato?

–En cuanto los periódicos lo hicieron público. El impacto de la noticia me dejó estupefacta.

–En su relación con ella: ¿pudo percibir algo extraño?

–No.

–¿Algún comentario que revelara inquietud, nerviosismo, temor?

–La imagen que guardo de Leonor no corresponde en nada a lo que menciona. La recuerdo como una mujer atractiva, proclive al aislamiento, no por timidez, sino por sus rasgos introspectivos.

–¿Sabía usted de su origen judío?

–Tengo por norma evitar los asuntos de religión y de sexo. En el medio en que me desenvuelvo es co-

[1] Director de la revista Timón, de clara adhesión nazi. Descontinuada por el Gobierno mexicano en 1942.

mún relacionarse con ateos y creyentes, sin que eso afecte mis vínculos con ellos.

–En los eventos que compartieron, ¿participaba gente de convicciones racistas?

–Es posible. No entiendo a qué viene esa pregunta.

–En este caso nunca se capturó al criminal, ni se aclaró el motivo del asesinato. Debido a que nada apunta a las causas más comunes de este tipo de muertes, –dinero, celos, o venganza–, resulta necesario descartar otras posibilidades. Probablemente el crimen de la señora Marcos se debió a causas ideológicas, considerando las condiciones que imperaban en aquella época de guerra.

–En México se respetó a esa raza.

Sonia Ferro daba muestras de que la audiencia alcanzaba su límite. El detective, perceptivo, apresuró su intervención y le advirtió que le restaba una última pregunta. Carrasco sacó de su bolsillo una cajetilla de cigarros Elegantes, omitió la cortesía del ofrecimiento por tratarse de un tabaco barato y fuerte, deparado para gargantas curtidas o incapaces de pagar un mejor precio.

–¿Oyó hablar o conoció a un tal Heinz?

–No. Le repito que en mi profesión se conoce a mucha gente, no recuerdo la mayoría de los nombres.

Al término de la frase Carrasco se levantó para despedirse, tendió su mano a la periodista para agradecerle todas sus atenciones y, en ese acto de dispensa y falsa cordialidad mutua, la mujer le pidió una tarjeta para localizarlo en caso de que obtuviera mayores informes.

Actitud poco usual entre la gente entrevistada para asuntos policiacos, que evita, por lo general, nuevos contactos.

Camino a la puerta, se detuvo por un momento para mirar un cuadro, cuyos fuertes trazos y brillantes colores impedían ignorarlo. "¿Dr. ATL?" La mujer asintió y le indicó con el brazo la salida. A buen entendedor, pocas insinuaciones. Carrasco, que entre otras cosas captaba con fidelidad las indirectas, salió despojado de la pena.

Se dirigió a la hemeroteca con el objeto de consultar las reseñas de la periodista en diversas publicaciones. La tarea le tomó el resto de la mañana y una parte de la tarde, tuvo que revisar mes por mes hasta dar con la información que investigaba. Sólo encontró una mención que exaltaba el contenido y la forma de los versos de la poetisa. Al margen de lo que indagaba, alcanzó a percatarse del contenido racista de la revista Timón, donde figuras de una talla intelectual superior, defendían a capa y espada el nazismo.

Hacia la penumbra de la noche próxima, Carrasco se dirigió con urgencia al consultorio, una pequeña multitud esperaba al doctor. El cambio de personalidad, de detective a médico, se dio en cuanto se colocó la bata blanca.

A la misma hora, Reinaldo, portero de la compañía, despedía a su patrón en su habitual viaje de regreso a casa. Conducido por Pablo, Cáceres no se resignaba a mantenerse colgado del hilo de la impaciencia; ordenó un cambio de dirección y el chofer lo condujo hasta las calles de Libertad, al consultorio de Carrasco.

El lleno de la sala de espera lo decepcionó; anticipó que esa noche sería imposible hablar con el detective. Esperó de pie hasta que la puerta se abrió. Carrasco le dio entrada preferencial y después de reconocer los signos de su ansiedad, le recetó un tranquilizante para recortar las torturas de la noche. Antes de despedirse, acordaron desayunar en el restaurante Sorrento.

La receta obtenida funcionó para Cáceres como sucedáneo para los nervios; tomó el tranquilizante y durmió hasta la mañana. Sin embargo, la paradoja del descanso químico, es que mientras el ritmo de la respiración y del corazón bajan en forma substancial, los impulsos del subconsciente corren desenfrenadamente y, como se creen los dueños del cuerpo, se revelan para lanzar ráfagas de agitación. En ese fugaz escape lograron salpicar a Víctor Cáceres de una Alejandra desmembrada y mutilada, de la cual se alcanzaban a ver sus fuertes piernas y manos alargadas, los pezones agrandados color rosa y una maraña de pelo desordenado. Como corolario, apareció la cara desfigurada de Elsa. Pero la suerte estaba de su parte, la mañana salvadora lo despertó.

A las ocho, Carrasco y Cáceres compartían una mesa en una céntrica cafetería italiana; habían ordenado y charlaban concentrados.

–Seguí la sugerencia que me hizo y entrevisté a mi sirvienta para conocer su versión del accidente. Su relato difiere, en ciertos aspectos, de la historia de Alejandra –Cáceres sorbió unos tragos de café y continuó. –Según Alejandra, las dos estuvieron encerradas en el mismo cuarto y la violación se llevó a cabo en su presencia. De acuerdo con María Engracia, las separaron y no supo de Alejandra hasta el momento del escape. En realidad, no sé si esta disgresión sea digna de tomarse en cuenta o si significa que una de las mujeres miente.

Carrasco escuchó con especial atención y le pidió su opinión.

–No hay razón para mentir.

–A menos de que se oculte algo, repuso Carrasco.

–Pero... ¿Quién de las dos?

–Analícelo, vea que motivaciones podrían tener cada una de ellas para falsear los datos.

–Me gustaría conocer su punto de vista.

–Soy enemigo de anticipar conclusiones.

–No le pido que concluya, sólo que me de una impresión. Me angustia pensar que haya sido Alejandra quien distorsionó los hechos.

–¿Por qué ella y no la sirvienta?

–María Engracia es demasiado sencilla, no tiene necesidad de cambiar la apariencia de las cosas.

–En ese aspecto no concuerdo con usted. Piense que pudieron drogarla o provocarle un bloqueo mental, lo cual induce a tergiversar los hechos.

–Estoy confundido, muy confundido. No se si hice bien en retomar esta investigación. De cualquier manera, jamás revivirá a mi madre.

–Si la mayoría pensara así, dejaríamos a los asesinos y delincuentes sueltos; la justicia no se le hace a los muertos. Por el contrario, la venganza, esa motivación primitiva y natural de los seres humanos, usurpa los afanes justicieros a cambio del placer del castigo.

–Mi madre está muerta y yo no persigo venganza, sino justicia.

–No esté tan seguro de poder diferenciar esas dos palabras, un hombre en su condición, con su cultura, tiende a acomodar a su antojo sus acciones. Por el momento, no se convierta en juez de lo que aún no sabe.

Cáceres, hambriento de propuestas, dejó el desayuno a un lado, llamó a la mesera para que retirara los platos y le trajera otro café caliente.

–Dígame Carrasco, ¿vale la pena seguir?

–Contéstese usted.

–Yo no puedo detenerme.

Parsimonioso y controlado, en apariencia, Juan Carrasco sentía que ambos se encontraban en un punto sin regreso. A sabiendas de ello, el detective dijo: –"en mi caso, puedo suspender en el acto la investigación".

–¿Lo dice en serio? ¿Sería capaz?

Dicho cuestionamiento, generó una pausa obligada para que Carrasco reflexionara sobre su afirmación, tan incongruente como temeraria.

–No –contestó Juan–, claro que no. En realidad estamos en la misma situación; no sé por qué lo dije.

Aclaradas las actitudes, su conversación desembocó en un breve relato sobre la entrevista con Sonia Ferro; el detective omitió detalles y sugirió tratar de localizar, tanto a Alejandra como a Heinz.

–¿Cree qué debo buscar a Alejandra? Preguntó Víctor satisfecho.

–Estoy seguro de que tiene buenas razones para entrevistarla.

–¿Estará implicada?

–Amigo, no estoy en condiciones de responderle en ningún sentido. Los detectives nos dedicamos a investigar, mientras tanto, todas nuestras suposiciones son, eso: "suposiciones".

A las nueve de la mañana se despidieron y cada uno marchó a cumplir con sus obligaciones. Víctor Cáceres manejó en dirección del centro hasta al más bello almacén de la ciudad. Subió en un moderno elevador al tercer piso y ahí preguntó a un dependiente por Alejandra Sanromán. Después de una frase vacilante, el empleado lo remitió al departamento de personal.

Atendido por un hombre joven, vestido con distinción, Cáceres solicitó mayor información acerca de

Alejandra. De nuevo los datos resultaron vagos e inservibles.

Del centro se dirigió al edificio donde ella vivía. Se entrevistó con el portero, quien le informó que toda la correspondencia la guardaba el vecino del primer piso.

De inmediato trató de localizar al inquilino, cuyas ausencias eran comunes e irregulares. Sin embargo, no todo le resultó mal, pudo obtener el nombre de la escuela de Elsa y localizar la dirección con facilidad. Antes de retirarse, dejó en manos del empleado una jugosa cantidad a manera de propina. Manejó rumbo a la escuela.

Se trataba de un pequeño centro escolar sin vigilancia, lo cual ahorró trámites engorrosos para entrevistarse de inmediato con la directora.

La sorpresiva audiencia se realizó con frialdad, prisa y buenos modales. Su aspecto *"de gente decente"*, ayudó a Cáceres para que le permitieran revisar el fichero de la niña, donde, fuera de excelentes calificaciones no encontró datos útiles. Decepcionado, sin derrotarse, regresó al edificio; el cuidador lo recibió con la noticia de que el señor Madero se encontraba en su apartamento.

Cáceres subió veloz un piso y después de presentarse como un antiguo conocido de Alejandra, intentó explicar su urgente necesidad de localizarla. El hombre, desconcertado por la abrupta presentación, lo invitó a pasar y sentarse.

Víctor se acomodó en una silla forrada con plástico transparente y le pidió que le permitiera revisar la correspondencia de Alejandra.

Madero accedió con la condición de que no se violaran las cartas. Tras un ir y venir, depositó diversos envíos de correo encima de una mesa de centro.

Cáceres dedicó los minutos siguientes a examinar el material; separó lo que parecía contener propaganda y se quedó con dos sobres.

–¿Me permite abrir estas dos cartas?– se las mostró.

–No sería correcto.

–Señor Madero, se trata de un asunto de muy graves consecuencias, de otra manera no me atrevería a pedírselo.

Impactado por la actitud de la extraña visita, Madero aceptó, convirtiéndose en cómplice .

El movimiento nervioso de las manos de Cáceres, manifestaba su infructuoso intento por controlarse. Primero leyó la carta rotulada, se trataba de un recibo de honorarios de un contador público por el manejo de una propiedad localizada en un pueblo llamado Cuetzalan. La segunda misiva era una invitación para la celebración de las bodas de oro de unos parientes lejanos radicados en Monterrey.

Cáceres anotó las direcciones de ambas cartas y agradeció al anfitrión su hospitalidad.

La familia de Alejandra, además de reducida, estaba desperdigada en el interior del país; sus padres vivían en la Península de Yucatán; algunos tíos y primos radicaban en localidades distantes. Ante la tenaz independencia de Alejandra Sanromán, Cáceres desechó la idea de que estuviera alojada con algún pariente.

El siguiente movimiento de Víctor lo decidió una corazonada; el acceso a la ciudad de Monterrey era fácil y programable, tal vez por ello, optó por viajar a Cuetzalan. Sitio del que desconocía hasta el mínimo detalle.

Faltaban unos minutos para las cinco de la tarde, tiempo suficiente para llegar a su negocio. En el trayecto, Cáceres planeó sus pasos inmediatos. En la oficina giró instrucciones a sus principales ejecutivos. Colocó a cargo del manejo administrativo al contador. Al jefe de planta le instruyó sobre los programas de producción y, por último, avisó que faltaría por un período indefinido. Dejó en manos de Pablo las responsabilidades de la casa. El sirviente, armado de suficiente valor, se atrevió a preguntar sobre la naturaleza de su viaje. Cáceres le respondió que salía en busca de Alejandra. Pablo, invadido por sensaciones extrañas e ignorante de lo que acontecía ofreció acompañarle. La firmeza del rechazo de Cáceres lo disuadió: –"eres más importante aquí".

Esa noche en la mansión Cáceres, los sueños de dos hombres de muy distinta condición transitaron sobre el común denominador de la incertidumbre.

A las seis de la mañana Víctor calentaba el motor del Oldsmobile, a la vez que repasaba, sobre un mapa, el itinerario trazado durante la noche.

Cuetzalan resultó ser una población localizada en medio de la sierra del estado de Puebla, a unos trescientos kilómetros de la metrópoli. El acceso terrestre requería librar una extensa zona montañosa caracterizada por sinuosidades, cuestas empinadas y barrancos. Las condiciones climatológicas amenazaban con lluvias de diferente intensidad. Además, habría que agregar la ausencia de carretera asfaltada en el último tramo y la inexperiencia de Cáceres en el manejo sobre esas pistas.

El deseo obsesivo de arribar motivó su salida a la carretera; durante las primeras horas los volcanes que custodian la ciudad de México dominaron el paisaje.

Tardó cinco horas en alcanzar su primer destino: la ciudad de Puebla. Se detuvo a tomar café y luego prosiguió por un camino donde la claridad se perdía difuminada entre la bruma. Las nubes se adueñaban de la realidad, convirtiendo el paisaje en un mundo de linderos vaporosos.

Los peligros de precipicios y hondanadas se hicieron invisibles, ocultados por la niebla, en algunos claros mostraron su abismal belleza.

La mayor parte del tráfico lo formaban autobuses, camiones cargueros y carretas jaladas por animales. La angosta terracería hacía que el auto se detuviera por espacios prolongados, hasta que el camino se liberaba. El máximo de velocidad no rebasaba los veinte kilómetros por hora.

En un bolsillo de su saco Cáceres traía consigo la carta de Alejandra; en la medida en que se aproximaba a su destino recordaba frases aisladas.

En una curva: *"no me busques"*. En la neblina: *"fue hermoso, tal vez demasiado"*. Ante el abismo: *"no estoy segura de que pueda haber algo más para mí"*. Al inicio de la lluvia: *"tengo miedo, miedo de que la vida ya me lo haya brindado todo"*. Cuando la carretera hizo un paréntesis para mostrar inmensos valles verdes, llenos de tierra mojada: *"siento que aquel día, fue un día y siempre"*. Al arreciar las turbulencias: *"no me busques"*.

La noche multiplicaba los peligros. Esperó a la mañana para reiniciar el viaje, durmió en el interior del auto en medio de insectos zumbones, calor húmedo y lluvia pertinaz.

Casi al medio día llegó a un pueblo pintoresco, donde un letrero anunciaba: "Bienvenido a Cuetzalan".

Capítulo diez

El disfraz más convincente de la manipulación es la libertad

Cuetzalan resultó buen sitio para un buscador de paraísos. Título que mal le quedaba a Cáceres dadas las circunstancias de su viaje. Al entrar a la población se tenía la impresión de traspasar las barreras del tiempo, la modernidad del siglo veinte apenas se notaba, además, la cortina de lluvia que envolvía el ambiente daba la sensación de penetrar en otra dimensión. El cielo lucía como un techo de diferentes alturas, sus nubes pintadas con gradientes de gris disputaban, junto con el sol y el aire, el dominio del espacio.

Cáceres recorrió la vía principal seguido por las curiosas miradas de los nativos. A tres cuadras de la plazuela principal una construcción ostentaba el anuncio de: hotel. Se abrió paso entre lodazales y piedras resbalosas hasta la hostería. En la recepción lo atendió una mujer que le garantizó la limpieza de las instalaciones y el agua caliente por la mañana. La sencillez de la habitación no lo desagradó, la encontró confortable y bien ventilada. Por la ventana se apreciaba el panorama pueblerino con sus habituales alternancias de casas típicas y pobreza. Acomodó sus cosas y bajó al comedor. Preguntó a la mesera como llegar al domicilio de la familia Sanromán que traía anotado, ella le informó que se trataba de un paraje situado dentro de la sierra; pero que en el pueblo había otras personas del mismo apellido. Obtuvo las señas y después de agradecer las atenciones se marchó.

El calor intenso lo agobiaba; subió a su cuarto con la intención de meterse en la cama después de un prolongado baño frío. Leyó recostado las noticias, tomó una dosis del somnífero y se quedó dormido. El medicamento le ayudó a ignorar los insectos que, por esa época, convierten las noches en un verdadero suplicio.

Soñó. Se montó en una embarcación y navegó a la región del olvido, se alejó de sí mismo hasta una encrucijada donde no podía elegir el camino.

Con los primeros rayos de luz se anunció el nuevo día, por fortuna la temperatura descendió y, en ese crepúsculo refrescante despertó. Aún amodorrado se asomó por la ventana, miró el deambular de la gente por las calles; la mayoría vestía de blanco y con sombrero. En ese pueblo mañanero la población indígena dominaba. Una vez finalizado su arreglo personal se encaminó hacia una calle empinada donde las banquetas tenían escalones. Conforme avanzaba las casas se convertían en comercios.

El cielo había escampado. El calor evaporaba los charcos y dilataba los poros sudorosos de Víctor mientras subía. Un transeúnte le dio indicaciones precisas para identificar la casa que buscaba. Caminó por una calle empedrada hasta una construcción de tabique rojo; tocó la puerta por un buen rato; al ver que nadie salía husmeó por los cristales; distinguió unos muebles sencillos y una rudimentaria lámpara colgada del techo. Como último recurso golpeó con una llave el cristal de la ventana. Se convenció de que no había nadie. Entonces abrieron la puerta.

Una anciana, apoyada en un bastón, lo saludó atenta y curiosa. Cáceres se identificó y preguntó por Alejandra Sanromán. La abuela respondió que en esa casa sólo vivían ella y su hijo.

Una ducha de agua helada lo hubiera dejado en mejores condiciones. Abatido por la decepción, se arrepintió de seguir una corazonada, un presentimiento.

A los pocos minutos entraba en la oficina de gobierno donde un lugareño lo atendió. A diferencia de la burocracia capitalina el provinciano se mostró diligente y afable, en una breve plática el empleado le indicó la ubicación de los terrenos a nombre de Sanromán, además de un mapa detallado de la ruta a seguir. De inmediato le advirtió que saliera en caballo y por la madrugada.

Regresó al hotel a esperar y a no hacer nada. No le importaron las ruinas arqueológicas aledañas, la celebre caída de agua que, a poca distancia, podía visitar. Su instinto aventurero, si alguna vez existió, permanecía oculto entre sus pensamientos cuadrados y alguna desviación imprevista de su espíritu.

El día cursó largo e infinito, el calor no lo dejó descansar y, después de baños sucesivos, deseaba el frío más que cualquier otra cosa. Por la tarde el cielo volvió a nublarse y la lluvia no cesó; sobre las calles maltrechas e irregulares corrieron riachuelos imposibles de evitar. Los burros y caballos llevaban la carga de sus dueños, los vehículos de motor prácticamente no existían.

Por la noche trató de escapar de las persecuciones nocturnas y tomó una doble dosis de sedante. Se quedó dormido desnudo sobre la reducida cama convertida en coliseo de aflicciones.

A las cinco de la mañana Víctor estaba listo para atravesar los collados y entrevistarse con los únicos familiares de Alejandra. Emprendió su marcha a pie siguiendo las direcciones de un recorrido incierto.

Al final del pueblo los rastros de las calles se desvanecieron, siguió por una vereda trazada entre malezas, árboles y piedras. Guiado por un mapa garabateado subió por una pendiente. El terreno se tornó escarpado y el ambiente lluvioso, su vestimenta quedó empapada mas no tenía caso resguardarse; esperar a que las lluvias cesaran resultaba inútil.

Escaló por una ladera exuberante a través de una brecha irregular, donde arbustos y rocas cubrían el suelo; hacia atrás, el pueblo se perdía. Caminó un largo tiempo, su condición sedentaria excluía las facultades de explorador, empero, su fuerza interior le demandaba seguir. Al cabo de cuatro horas escogió un techo natural para descansar, el cuerpo le hacía sentir su peso, los pies lastimados, por las irregularidades del terreno, empezaban a flaquear. Pocas cosas parecían moverse con voluntad propia, los ruidos de esa soledad se limitaban a murmullos de animales invisibles.

La mezcla de sombras, sonidos y de lo desconocido lo atemorizaron; se levantó, inició el descenso hacia el pequeño valle que aún se asomaba distante. Sobresalían, en el panorama, tres haciendas y una que otra choza de palma entre los sembradíos. Su andar se transformó en un avance torpe, la fatiga todavía no lo detenía, pero sus limitaciones le impedían seguir el ritmo de sus impulsos. Con la vista seleccionó la casa más cercana y se dirigió a ella. En el valle, sin la protección de los árboles, la lluvia lo bañaba y enfriaba, las ropas le colgaban por el peso del líquido y tuvo que tallarse los ojos con frecuencia para ver con nitidez la senda por la que transitaba.

A unos pasos de la choza observó a un hombre que trabajaba la tierra; avanzó hacía él para preguntar. Tal vez por la actitud decidida del extraño o por la desconfianza de los naturales de esa región, el campesino suspendió la actividad y empuñó el machete. Cáceres avanzó hasta una distancia prudente; lo saludó y trató de explicar su presencia; cuando pronunció el apellido Sanromán, el sujeto cambió de actitud y señaló en dirección de una hacienda.

Víctor agradeció y reinició la caminata. Al cabo de unos pasos, la combinación de fatiga y agobio lo derrumbaron. El hombre de campo, desprovisto de su anterior desconfianza, corrió en su auxilio. Descubrió en el rostro del desconocido las señales del agotamiento, las marcas del hambre, y las líneas excavadas de la pena.

Tras balbucear palabras ininteligibles, Cáceres se incorporó con la ayuda del labriego, se apoyó sobre su hombro y entraron en la casucha de adobe. La construcción parecía una excrecencia de la tierra, estaba diseñada para abrigar a hombres de barro.

Víctor Cáceres, igual que muchos otros de su condición, se acostumbró a considerar a los indios como parte natural del paisaje; confundía la inocencia con la ignorancia, lo genuino con lo primitivo. Esa tarde de apreciaciones desbaratadas, se percató de lo monstruoso que resulta conceptuar a otro ser humano como una parte del paisaje.

Aquella casa con techo de palma contenía todas las posesiones de ese hombre: un comal de barro, un par de sillas, un petate, una mesa pintada de azul. Tiempo breve para un inventario y una vida entera para conseguirlo.

En la habitación las cosas se alcanzaban a menos de tres pasos de distancia; Cáceres se quedó exhausto recostado sobre el suelo. Su acompañante calentaba tortillas y un pocillo con café. La apariencia dura y arisca no había desaparecido de la faz del indio, tal vez, porque el campo no enseña a fingir. Ese hombre, silvestre y arrogante, al compartir con un extraño cuanto tenía, demostraba su generosidad –antes– invisible.

Ante la hospitalidad inesperada, Cáceres intentó agradecer con una mal lograda sonrisa. Al terminar el contenido del tazón, no se atrevió a pedir más, el hombre adivinó su deseo y le volvió a servir. Sin pensar, ni proponérselo, se rindió a las demandas del cuerpo y doblegado por la fatiga durmió y renunció a los sueños.

Mientras tanto, en la mansión Cáceres, Pablo veía llorar a su esposa con frecuencia y le preguntaba insistente las razones de su congoja; mas ella callaba. Por la tarde, el sollozo de María Engracia volvió a inquietarlo; se dirigió a ella con firmeza para exigirle una explicación.

Con la cabeza volteada hacia abajo y extendida sobre la cama, el sollozo se acentuó. Pablo esperó unos minutos y, con voz suave, le suplicó que le diera una explicación.

–Yo tampoco se por qué –dijo ella al fin–, algo se me tuerce aquí. Señaló su pecho, a la vez que se arrojó sobre el hombro del marido.

Pablo reconocía en esos *no se*, el mensaje maligno y doloroso que impedía a su mujer comunicar lo que experimentaba. Como mal entendedor de mensajes oscuros y vagos, la tomó entre sus brazos tratando de disminuir, con su cercanía, el desconsuelo.

Espantado ante esa actitud desesperada, Pablo pidió ayuda a su cuñado. Le llamó por teléfono y tras un breve saludo le describió el estado de María Engracia. Luis, preocupado, le indicó que pusiera flores blancas en el cuarto y dejara una botella de agua a serenar toda la noche para dársela a beber por la mañana.

Del jardín cortó Pablo las flores y dejó un recipiente con agua para que le diera la luz de la luna. Un poco más tranquilo, regresó al cuarto donde encontró a María Engracia dormida. Verla descansar lo apaciguó, se recostó a su lado y, aunque el sueño le tardó en llegar, también descansó.

Cuando la oscuridad se disipaba, las aves –animales diseñados para festejar crepúsculos y ocasos–, emitieron los ruidos que cortejan las mañanas. Esos sonidos, extraños para alguien de la ciudad, despertaron a Cáceres. Se vio yacente sobre la tierra, sintió correr el frío por sus extremidades y la conciencia de los hechos regresó.

Se levantó, sacudió el polvo de la ropa arrugada y se percató que estaba solo. Salió de la choza para reubicarse y recordar los motivos que lo habían traído. En su memoria los detalles se extraviaron, vio la luz enrojecida salpicar el cielo y la tierra, miró hacia los maizales y reconoció entre los aperos al anfitrión más silencioso de cuantos conocía. La despedida funcionó como presentación, dijeron sus nombres. A partir de ese instante cada uno formó parte del pasado del otro.

Sus pasos se guiaron por un punto situado a dos kilómetros de distancia, atravesó los sembradíos y respiró la humedad del rocío. Sintió como el sol, en su ascenso, se posesionaba del ambiente.

Llegó a su destino, la construcción estaba rodeada de pequeñas casas. Tocó la puerta y una mujer obesa lo atendió. Cáceres se identificó y preguntó por la familia Sanromán. Ella le confirmó que ahí vivían.

–Deseo hablar con Alejandra Sanromán Carrillo.

–¿Alejandra?

–Sí, respondió nervioso.

–Se fue al río.

Durante los segundos siguientes las emociones se hicieron cargo de su interior; intentó controlarse mediante una sucesión de respiraciones y continuó la conversación.

–¿Se llevó a la niña?

–Las dos se fueron a caballo.

–¿A qué horas regresarán?

–No sé. ¿Las espera?

Estaba dispuesto a esperar toda la vida.

La puerta se cerró. Cáceres localizó donde guarecerse. El azar le obsequiaba un receso ante una inminente experiencia decisiva.

Se sintió satisfecho de encontrarse en ese paraje y olvidó las penurias padecidas. Cuando el sol se esmeraba en calentar el ambiente y hacer sudar la tierra, dudó de la inocencia de Alejandra. Un rosario de sospechas desfiló por su cabeza. ¿Para qué descubrir la verdad?, ¿en caso de hallarla culpable, qué podía hacer?, ¿castigarla?, ¿perdonarla? Pasaron algunas horas, sintió sed y resistió estoico sentado sobre una piedra convertida en atalaya. Aquellas circunstancias lo despojaron de su identidad urbana, desde lejos era un punto animado en medio de un valle. Ese mundo le removía las máscaras e identidades agregadas por su educación.

Por la tarde, las nubes enegrecidas celebraban su fiesta de agua, relámpagos y truenos. Ante los cambios intempestivos de su alrededor, Cáceres se sintió desamparado. Vivir esta experiencia en medio del campo, o, más bien, en medio de todo; sin abrigo, sin techo, explican las ganas de orar en cualquier hombre.

Sabía que nada detendría la lluvia. Se abasteció de las primeras gotas de agua y calmó su sed; después se metió en una rústica construcción de palma situada al lado de la casa. Cuando la claridad se atenuaba, alcanzó a distinguir las siluetas de un grupo de tres jinetes que descendían por la falda de la montaña en dirección de la casa.

De nuevo una sensación primordial lo asaltó; presentía que Alejandra se acercaba. Entonces, tembló, intentó apretar sus manos para contenerse; el esfuerzo resultó inútil. Desesperado se abrazó a sí mismo, el cuerpo no le obedeció, la barbilla se volvió inestable y sus músculos se tensaron.

Los caballos se aproximaron hasta una distancia en que las siluetas podían reconocerse. Pasaron frente a su escondite. Alejandra y la niña entraron en la casa y el hombre condujo a los animales a la caballeriza. Los ojos de Cáceres, abiertos y pasmados, rastrearon el paisaje semioscuro. No encontraron nada, no había más nada que indagar. Ahora, próximo a la fuente de las respuestas, Víctor sentía miedo.

El viento agitó los plantíos y los verdes se transfiguraron en sombras, el contorno de la vida quedó a merced de las fuerzas de la noche.

Víctor miró con fijeza la entrada de la casa, esperaba inmóvil. La puerta se abrió siguiendo el guión del destino y apareció una mujer vestida con una túnica blanca, cuya pelambre se alborotaba con el correr del aire. Él vio como lo buscaba y la dejó buscar.

La oscuridad resultó un escondite perfecto, el ir y venir de Alejandra no dio con él. Ella regresó a la casa y él sucumbió a sus temores.

Sus respiraciones se hicieron pausadas, el control retornaba con lentitud. Empezó a moverse en dirección de la casa; avanzó unos metros y la puerta se abrió de nuevo. Regresó a su refugio y vio salir a un grupo formado por una niña, un hombre, y una mujer; los tres se alejaron rumbo a una casa aledaña. Por un tiempo no se atrevió a dar los pasos decisivos, a pesar de presentir que Alejandra estaba sola y lo aguardaba.

Caminó hasta la entrada y encontró la puerta abierta. Entró, recorrió las habitaciones con sigilo, una luz al fondo señalaba el lugar.

Se detuvo al verla sentada sobre la cama. Enmudeció. Alcanzó a leer en el lenguaje de la circunstancia una recepción resignada. Los minutos transcurrieron largos y se acomodó de espaldas a ella. Alejandra sujetó sus ímpetus, no volteó ni habló, se limitó a escuchar las respiraciones agitadas de Víctor. Más tarde, preguntó insegura: "¿a qué has venido?"

–No sé–. Mintió.

Permanecieron sentados sin enfrentarse, evitaron mirarse. Actuaron como dos fiscales, como dos acusados, como dos culpables a punto de confesar.

El paréntesis se extendió para dejar que cada uno, en su lucha interna, dejara nacer dentro de sí una energía poderosa capaz de hacerles perder el miedo al encuentro. Cuando dejaron de pensar y actuaron por instinto, uno se abalanzó contra el otro para tocarse, para darse cuenta que necesitaban el contacto y no la palabra.

¿Y qué más da aquello que lo trajo hasta ella?, ¿y de qué valen los motivos que los alejaron?, ¿para qué saber?, ¿para qué preguntar a que vino?

En ese momento la razón hubiera querido cuestionarlo todo; enredarlos con las jerárquicas teorías de la realidad que transforman la existencia en una abstracción, en un concepto. Ellos, reacios a ser vencidos por las razones, se dejaron llevar por otras fuerzas.

En medio de un cosmos verde, la solitaria pareja respiraba el aire confundido de sus alientos, ambos desearon iniciar el día siguiente, con ese singular principio que carece de pasado.

Capítulo once

Aduéñate de una verdad absoluta y los demás aceptarán tus engaños

La amplitud de la habitación empequeñecía a los dos hombres que discutían en su interior. El techo excesivamente alto, los muebles sobrios de caoba, el orden escrupuloso y la limpieza impecable, enmarcaban el poder de quien dirigía la organización.

–Estoy muy preocupado por el curso de los acontecimientos –decía el hombre rubio–, me informaron que localizaron a Capuano y que Carrasco ha sido contratado de nuevo.

Los pasos alargados del rubio en uno y otro sentido, no sólo sugerían preocupación, sino su retorno a la furia y al deseo incontenible de manejar el destino de la gente. Los términos vida y muerte eran sólo trámites administrativos, cuestiones frías que se deciden de acuerdo a las conveniencias de la empresa.

El hombre que lo escuchaba temía su actitud, no por lo que decía, sino porque sabía que el círculo se cerraba, que no importaba cuánto se pudiera averiguar, ellos y la organización jamás debían darse a conocer, salir a la luz.

–A la gente le parecerá ridícula cualquier declaración de Cáceres contra un grupo de inversionistas destacados y de intachable trayectoria; aunque descubriesen toda la verdad –situación poco probable–, tenemos los medios para *jugar con la justicia*. Dijo Heinz.

–No me interesan tus argumentos. Dime cuántos días necesitas para terminar con este asunto.

–Con un mes será suficiente.

–Ni un día más.

Heinz sabía que las amenazas del rubio no eran palabras vacías producto del enojo, por el contrario, tenía suficientes pruebas para confirmar que no existían límites para sus consignas. La preocupación lo estimuló para maquinar un plan que cortara de tajo los movimientos de Cáceres y sacara a Carrasco de la jugada. Trató de localizar a Víctor por los canales comunes, sin obtener datos sobre su paradero.

El inicio de cualquier día nos dice, en forma encubierta, que todo puede suceder. A las cinco de la mañana, cuando el sol empezaba a iluminar un pequeño valle en la sierra húmeda de Puebla y los gallos afinaban su canto, Víctor Cáceres despertaba desorientado. Su conciencia se perdió por unos segundos y con la mente recorrió toda su historia hasta el "hoy" del momento que vivía. Observó su entorno campirano, las paredes de piedra y luego miró con fijeza a la mujer que dormía a su lado. Permaneció sin moverse, vivió a expensas de pensamientos y sentimientos cruzados, hasta que Alejandra, con diminutas contorsiones, dio muestras de que el amanecer también le había penetrado.

La luz –señal y símbolo de uno de los principios de la vida– desencadenaba la secuencia propia de la vigilia.

–"¿Estás despierto?"–, preguntó ella a media voz. –"Sí, desde hace un buen rato"–, respondió él. –"¿Entonces, qué esperas?"–, volvió a preguntar, y él no contestó.

Alejandra se levantó y salió del cuarto. Al cabo de una hora le gritó desde afuera: ¡Ya está caliente el agua! Cáceres se asomó por una pequeña rendija y la vio cubierta con un huipil ralo de gasa blanca. Desaliñado y con los cabellos revueltos, salió rumbo a una pequeña construcción de adobe que hacía las veces de baño. Sobre el piso de cemento estaban unas cubetas llenas de agua, dos de ellas despedían vapor. Bajo esas circunstancias, la poca experiencia del citadino era una garantía de torpeza.

–Así nos bañamos aquí, no busques llaves ni regaderas. Toma el posillo y empieza a echarme agua –dijo Alejandra mientras se sacaba la vestimenta.

Una mujer desnuda energetiza lo que le rodea, principalmente, si lo que le rodea es un hombre. Con un zacate lleno de espuma Víctor talló la espalda de Alejandra. El jabón, apoyado en indecentes pretensiones, logró resbalar por todas partes hasta convertir las pieles, antes sudadas, en superficies escurridisas por la que se podía patinar sin rescoldos de moral.

Los dos moldes embonaron, se hicieron de las memorias del gusto y del capricho, y lo que antes era un atrevimiento reprobable, ahora abordaba una realidad sin calificativos.

A veces, y ésta era una de esas veces, algunas conductas pueden calificarse como locuras. Al paso del tiempo, de ese tiempo en el que todo se convierte en recuerdo, las conceptos se modifican y las locuras forman parte de la nostalgia de placeres. Por ello, las nuevas locuras de Víctor y Alejandra, en breve serán parte de su historia; historia que revivirán algún día, cuando la edad le niegue al cuerpo ese fugaz placer.

Se arrojaron los restos de agua que quedaban en las cubetas y dejaron que ésta se evaporara sobre sus cuerpos calientes y sobre sus bocas sin idioma.

Poco más tarde, disfrutaron del desayuno y evitaron cualquier confrontación. Pero como cada cosa tiene su momento, él preguntó con los ojos y ella respondió con la voz.

—Sé a qué has venido.

Víctor intentó alejar de ella el lenguaje. Alejandra detuvo con sus dedos su boca y no le permitió contestar.

—Pues bien, si sospechas que te he ocultado la verdad, también debes suponer que obedece a una causa. Tienes razón, te he mentido.

—No sé a que te refieres.

Alejandra continuó por encima de la voz reticente de Víctor, que, con rapidez, regresó al silencio.

—¿Deseas saber la verdad? Hoy mismo la sabrás. No quiero que sea porque tú la preguntas, sino porque yo te la quiero decir. Así que, por favor, no interrumpas.

—A grandes rasgos, —inició Alejandra — el accidente ocurrió tal y como te lo relaté; cambié algunas situaciones por razones que más tarde comprenderás.

La actitud resuelta de Alejandra hizo sospechar a Cáceres que, atrás de sus elaboradas conjeturas, existían argumentos jamás imaginados. La prudencia y el miedo a la verdad lo mantuvieron atento.

–El rapto llevaba la intención de matar a tu madre, el hecho de que nos atraparon a las tres juntas fue circunstancial. Según me di cuenta más tarde, los maleantes descubrieron que era más fácil obtener lo que querían si me usaban como cebo. Al llegar al casco abandonado nos condujeron, a tu madre y a mí a un lugar y a María Engracia a otro. En cuanto nos ataron la empezaron a interrogar sobre cosas que yo desconocía. En un principio me ignoraron, se concretaron a torturar a Leonor para obtener lo que querían. Al ver que ella resistía sus embates, me tomaron del pelo para colocarme frente a ella y me asfixiaron hasta que perdí la conciencia. Cuando me recuperé, Leonor contestaba a todas sus preguntas. Les dijo cuanto querían saber. A pesar de mi aturdimiento, alcancé a escuchar parte de sus confesiones. Aceptó que era judía y que no practicaba religión alguna. Después, repitió varias veces que su participación en cierto grupo era incidental; que acudía por su interés en la cultura y por el respeto que tenía hacia algunos destacados intelectuales.

Cuando callaba, los truhanes la azuzaban y golpeaban la cara, soportó en gran medida su dolor, sin embargo, cuando me amenazaban confesaba lo que ellos demandaban. El criminal manifestaba una atracción extraña por ella; Leonor reaccionaba con repulsión a sus bruscas caricias e insinuaciones grotescas.

A partir de ese momento la insistencia de los sujetos la apabulló. Los golpes se sucedieron con más frecuencia y después quemaron su cuerpo con cigarrillos. Desesperada por mi impotencia grité y caí al suelo. El jefe, a quien llamaban "Oso", ordenó que me sacaran. Me encerraron en un cuarto y no volví a ver con vida a Leonor.

No puedo precisar cuántas horas estuve en esa prisión; la agonía fue larga. Repentinamente, entró un sujeto encapuchado con una botella de alcohol en la mano, me amenazó con un cuchillo y me dijo que nada pasaría si me portaba como "mujercita". Me ató las manos forzándome a beber el aguardiente hasta perder el control. Enseguida se abalanzó contra mí pero nunca me violó.

Cáceres perdió todo el sentido de la realidad y dejó que Alejandra continuara.

–Desperté desorientada. Alcancé a distinguir la botella en un extremo y me arrastré hasta ella para romperla de una patada. Con uno de los vidrios corté las amarras. Mi instinto me decía que sólo escapando podría seguir con vida. La puerta estaba atrancada, busqué otras posibilidades; lancé la cuerda a una trabe del tejado y me valí de ella para escalar la pared hasta el techo. Empujé las tejas y huí.

Desde lo alto localicé una construcción que nadie vigilaba, quité el perno de metal que atoraba el acceso y encontré a María Engracia en un rincón; le urgí a que saliera y ambas corrimos hacia unos arbustos. El resto de la historia ya lo conoces.

Víctor recobró suficientes fuerzas como para preguntar sobre el origen de Elsa y la causa de las mentiras.

–Hay ciertas cosas que nunca te quise decir y que ahora vas a entender.

Sin despegar los ojos de Alejandra, Víctor vio como se descomponía el rostro de su compañera quien, dominada por sus emociones, hizo una pausa. Convertido en un impaciente espectador de sorpresas, Cáceres se abasteció de más ansiedad de la que su silencio le permitía y redundó en su anterior pregunta.

–Aún no comprendo qué razón te movió a cambiar el relato.

–Aunque en lo esencial te dije lo mismo; tu actitud ha sido la que me obligó a ocultar ciertas cosas. De intrigado acusador, Cáceres se convirtió en acusado confundido; cambió su conducta por gestos de interrogación suplicante.

–Ahora mismo te lo aclararé. Alejandra retomó el control de sí misma.

–Es necesario que recuerdes lo que sucedió un mes antes de que nos comprometiéramos en matrimonio.

–¿A qué te refieres?

–A la tarde en que nos quedamos juntos para brindar, sin reparo, por nosotros.

Víctor trató de evocar aquel suceso que, por alguna razón, su memoria canceló. Demoró en articular sus imágenes truncadas.

–¿Te refieres al día en que comunicamos a nuestras familias la decisión de casarnos?

–Sí.

La meditación de Víctor cambió el propósito de su encuesta, se interiorizó exigiéndose a reconstruir el hecho. Al cabo de largos segundos, sus ideas difusas adquirieron perfiles definidos y empezó el relato de una memoria reprimida, impulsada a emerger por la fuerza de las circunstancias.

–Nos quedamos solos para celebrar. Brindamos con todo el alcohol que estaba a nuestro alcance... creo que empezamos a bailar, primero con música y después sin ella pero... no sé, no puedo recordar lo que sucedió después.

–Bebiste demasiado y yo también. Dejamos colgados en los percheros el pudor y los buenos modales, hicimos a un lado las restricciones morales de nuestra impecable educación y nos amamos con el cuerpo por primera vez. El recuerdo de aquella noche se presentó en Víctor Cáceres como un destello; las imágenes se llenaron de suficiente luz y le permitieron descubrir momentos negados a su memoria. Por extrañas razones que, sólo el inconsciente sabe, reprimió aquel hecho. Esa conversación convirtió aquellos momentos suspendidos en conciencia pura. Su receptividad aumentó, al igual que las ansias por seguir las palabras de su compañera.

–¿Lo recuerdas?

–Sí. Lo olvidé sin que pueda explicarme por qué.

Los dos se quedaron callados. Cada uno pensó por su lado sobre aquel evento de sus vidas. Entre su inventario de olvidos, Cáceres descubrió que él también tenía un secreto. Ahora, *el buscador de verdades* tenía que confesar.

–Éste no es momento para ocultamientos, tengo que decirte algo que en ese entonces me apenaba y que aún me avergüenza.

Alejandra se mantuvo atenta.

–Hasta esa noche, –empezó Víctor– mis experiencias sexuales eran muy limitadas; aquellos misterios que sólo se descubren con el cuerpo seguían vivos en mí. Me sentía ridículo y a la vez cobarde, dudaba de mi capacidad como hombre. La idea de ser impotente me atormentaba. Atesoraba mi miedo como si fuera el más grande de los secretos, mi seguridad dependía de mis conocimientos y habilidades prácticas. Creo que siempre...

Cáceres se detuvo, las manos se le habían enfriado y tenía la boca seca, estaba obligado a continuar y decir lo que nunca había dicho, expresarse como nunca lo había hecho.

–Creo que siempre dudé de mi hombría, tenía miedo de enfrentarme a una mujer y no poder responderle. Por las noches, en mis desvelos, me acechaban las culpas y los presagios. El hecho de temer y desear a las mujeres funcionó como un castigo. No tenía con quien hablar de ello, mis temores aplazados se agrandaron. Mi madre, a pesar de su liberalidad, se limitó a darlo por hecho. En la escuela los comentarios de compañeros y maestros llenaron mi cabeza con embrollos y miedos; ahí se calificaba lo referente al sexo como indecente y morboso. Cada erección engendraba una culpa y cada culpa me hacía sentir menos hombre, es por eso...

Cáceres flaqueó, volteó la cabeza hacia donde Alejandra no lo pudiera ver, se cubrió con ambas manos la cara y ocultó su rostro.

–Aquella noche –continuó Víctor– en que conocí tu cuerpo, el terror no me abandonó, en lugar de sentir lo que por años anhelaba me hundí en la inconsciencia. Me invadió la sensación de ser una persona ruin que abusó de ti. La borrachera me hizo distorsionar el hecho y pensar que nada, absolutamente nada, ocurrió.

–Sin embargo, sucedió.

–Alejandra...

Tras sus exclamaciones Víctor se lanzó a los brazos de su compañera y, en medio de su desesperación, le pidió perdón.

Ambos comprendieron que su vida poseía una dimensión oscura, fuente de deleites, obstáculos, y tiempos desperdiciados.

–Ahora están claras muchas cosas que nunca imaginé –replicó Alejandra. –Todos estos años viví tu rechazo pensando que, en forma deliberada, omitiste aque-

lla experiencia; supuse que mi entrega prematura te
ofendió.

—No. Eran mis miedos, mis deformaciones, las que
de alguna manera crearon esta laguna que hoy, sin
dicha ni triunfo, se aclara.

—Sin embargo, —empezó a decir Alejandra— de esa
experiencia no sólo quedaron omisiones desmemoria-
das y malas interpretaciones: hubo algo más.

Alejandra se quedo callada dejando que Víctor se
percatara, descubriera por si mismo ese algo más.

Víctor Cáceres era un hombre que creía en lo textual, por llamarle de alguna manera a la fe en el acontecer manifiesto; no investigaba esos *algo más* que sue-
len tener las cosas, los hechos, la gente, la existencia.
Lo literal satisfacía y justificaba su vida. Ahora, frente
a otra cara de la verdad, debía esforzarse para descubrir que la vida no es tan textual, que carece de una
prosa simplista y que del otro lado de lo cotidiano,
hay significados y revelaciones que descifrar.

Esta vez las circunstancias lo obligaron a descubrir
un *algo más*; para ello debía dejar que su mente discu-
rriera libre al margen de su propia biografía; tenía que
adentrarse en el contexto de los hechos hasta atrapar
lo que perseguía. Cuando dejó que su corazón participara en la búsqueda, obtuvo la única respuesta posible, contestó con una sola palabra:"Elsa".

Alejandra asintió. A Elsa le tocaba jugar el papel de
ese *algo más*, producto de aquella noche de omisiones
y memorias secuestradas.

Ahora resultaba claro —para Alejandra— que el
supuesto rechazo de Víctor jamás existió.

El hecho de que aceptara que el embarazo fue el
producto de una violación y no de su acto de amor,
obedecía a las complicaciones de su alma.

Este diálogo lacerante y a destiempo, ponía en evidencia que los juegos del orgullo habían perdido. Liberado por la acción de las palabras, las circunstancias convertían a Víctor Cáceres en padre.

–Antes del accidente –empezó a decir Alejandra– me di cuenta que estaba embarazada. Bastó que ocurriera una sola vez para que engendráramos una hija. Por ello me negué al aborto.

Supongo que ahora entiendes mi renuencia a decirte toda la verdad; siempre esperé que reconocieras la posibilidad de ser el padre de nuestra hija. Como tal cosa nunca sucedió, me sentí ultrajada al ver que aceptaste –sin dudar– que el embarazo se produjo en el accidente. Por ello me alejé de ti; preferí ser madre y no esposa.

–Perdóname. Repitió Cáceres derrotado.

Atrás se habían quedado las sospechas disipadas. Los irremediables tiempos perdidos los llenaban por entero.

¿Qué hacer?, ¿cómo reparar?, ¿a quién perdonar?, ¿cómo despojarse de los viejos días?

Por un lapso, medió una quietud imperturbable. Los pensamientos de ambos navegaron y emprendieron un viaje por las tierras encubiertas de su mente fragmentada. Cuando las distancias interiores se acortaron, la lejanía real se convirtió en una necesidad. Alejandra anunció su salida sin explicar nada.

Quedaron inmersos en su soledad, las sombras de sus pensamientos y sentimientos danzaban a su alrededor sin acomodarse en el mundo recién descubierto.

Alejandra ensilló su corcel color azabache. El animal ansiaba correr por los espacios abiertos del valle, resoplaba por las narices y movía su cabeza agitado.

El potro trotó libre sin que las riendas lo lastimaran, cruzó nervioso las puertas del rancho y ejecutó la danza galopante de su libertad.

El horizonte escurridizo jugaba al escondite, nada importaba la dirección. Jinete y caballo se envolvieron en el deseo de cabalgar, querían mecerse contra el aire empujados por la prisa de su instinto.

El viento les frotaba a contracara, el ropaje de Alejandra volaba y descubría sus robustas piernas asidas al tronco del musculoso caballo. Era una carrera que dejaba atrás pasado y vergüenza. En el paisaje la mancha azabache y el punto blanco se fundieron, recorrieron un camino disparejo donde el barro y la piedra se entreveraban. Nada los detuvo, ni siquiera el río limpio y fluido que tenían enfrente; penetraron en las aguas sin que Alejandra jalara las riendas; ambos compartían el deseo oculto de sumergirse y purificarse.

Mientras tanto Víctor salió al campo, necesitaba de aire y espacio. Pronto se encontró caminando en una vereda que separaba dos maizales; para un caminante sin dirección cualquier camino es bueno. Las cañas apiladas simulaban dos muros casi inescrutables, las mazorcas, envueltas en sus hojas verdes, parecían el símbolo de fertilidad de la tierra. En ese escenario Cáceres se dedicó a dejar que las sensaciones se reconstruyeran por sí mismas y a colocar las piezas del acertijo en su sitio. Las principales razones de su visita se habían aclarado; el esquema de su vida se llenaba de nuevos reclamos. De sus recientes vivencias nacía el parteaguas que dividía su existencia en tiempos desperdiciados y en un presente indefinido.

Dominado por un sentimiento puro, sin contaminación intelectual, experimentaba lo que esa mujer le significaba.

Él, que de mujeres poco sabía y que de amor nada comprendía, descubrió que bastaba amar una sola vez para saberlo todo, para experimentarlo todo, para llenarlo todo. Ese día en que las fuerzas desconocidas de la confesión lo convirtieron en padre, aprendió que el juego de la vida exige intuir cuando tomar el camino largo y cuando un atajo.

–"¿Usted creé en el destino?" Preguntaba una anciana al doctor, mientras Carrasco intentaba, con sutiles palabras, informarle que sufría de una enfermedad incurable.

–No doña Carmen. Le he dicho la verdad; no hay forma de curar esos tumores. Sin embargo, hoy contamos con medicinas muy poderosas. Todavía nos va a dar mucha lata.

–No me engañe doctor. Le pedí que hablara con la pura verdad y se lo agradezco; ahora no me de por mi lado. A los ochenta y siete años no se puede tener esperanza; con amanecer al otro día ya va una de gane.

Juan sonrío mientras escribía la receta, prescribió analgésicos y calmantes que, sin duda, no cambiaran el curso de la enfermedad. Al levantarse de su asiento para entregarle el papel, descubrió entre las facciones de la enferma sus pequeños ojos llenos de entereza y, en la mirada bondadosa de la anciana, alcanzó a leer la despedida.

Al término de la consulta alguien llamó a la puerta. El médico anticipó que se trataba de una emergencia y dejó entrar a un sujeto robusto, de tez blanca y ojos claros, que a todas luces no pertenecía a su clientela.

–Buenas noches doctor, disculpe que lo interrumpa a esta hora.

–¿Viene a consulta?

–En cierta manera. Permítame explicarle.

–Si no es urgente preferiría atenderle mañana.

–Se trata de Víctor Cáceres.

Cuando Carrasco escuchó el nombre recobró cierta viveza y dejó pasar al extraño que, sin permiso, se acomodó en un sillón.

–Me llamo Heinz. Tal vez el señor Cáceres le mencionó mi nombre.

–No. No que yo recuerde. Carrasco entendió, en el acto, que iniciaba un juego comprometedor.

–Bien, si mi presencia lo desconcierta. Lo que voy a decirle a continuación le va a hacer dudar mucho más. Conocí al señor Cáceres en una reunión espiritista. Carrasco hizo un gesto de rechazo que el extraño ignoró. En esas reuniones se llevan a cabo experiencias que rebasan la credibilidad de cualquiera, por lo que no espero que admita como cierto lo que voy a contarle. Hace dos días el grupo recibió un llamado urgente por medio de la tabla "Ouija".

–¿Qué es eso?, interrumpió Carrasco.

–La "Ouija" es una tabla que sirve para comunicarse con seres que ya no están con nosotros.

–Con espíritus –preguntó afirmando.

–Como le decía, en la última sesión recibí un mensaje junto con la indicación de dárselo a Cáceres. La verdad, es que no he logrado localizarlo, aunque lo he buscado por todas partes sin éxito. Uno de los sirvientes me informó que ustedes se han entrevistado últimamente, pensé que podría decirme dónde encontrarlo o, al menos, entregarle el comunicado.

–¿Usted creé en esas cosas? –incidió Carrasco.

–Ya le dije que entiendo su incredulidad. La coincidencia entre el recado recibido y la desaparición de Cáceres me alarma.

Carrasco se mostró interesado y trató de actuar a la par de su interlocutor.

–¿Es usted muy amigo del señor Cáceres?, –preguntó el médico.

–Muy amigo no, lo confieso; lo que resulta interesante de nuestra relación es la forma como nos conocimos, el destino nos juntó. Por ello, al recibir la advertencia, me sentí obligado a entrevistarme con él.

–¿Me permite conocer el contenido de esa comunicación?

–Desde luego, aquí lo tengo –metió su mano en uno de los bolsillos de su saco y extrajo una nota. –Está escrito en este papel. Heinz extendió la hoja doblada y se la entregó al médico.

Carrasco leyó:

–"Ganador la muerte llega de occidente el inocente es culpable el culpable es inocente cuídate del viejo, trae la muerte".

–Oscuro y aterrador. ¿De dónde sabe que está dirigido a Cáceres?

–No puedo afirmarlo con absoluta certeza. En una de las reuniones que compartimos, su madre se dirigió a él con el sobrenombre de "GANADOR".

–Aunque aceptemos que este aviso está dirigido a Víctor, podría tratarse de una broma o de un engaño. ¿No lo cree?

–Dejemos que él lo decida. Si tuviera la menor duda de la seriedad de los participantes no asistiría a esas reuniones, ni tomaría en serio lo que ahí sucede. ¿Puede indicarme dónde hallarlo?

–Lamento no poder ayudarle, entre el señor Cáceres y yo hay una relación muy superficial; por lo que no me extraña que me mantenga al margen de sus problemas. ¿Está seguro de que no se trata de un juego malsano, donde alguien quiera pasarse de listo?

–Estoy seguro. Baste decirle que en esta sesión estuvieron presentes el cónsul estadounidense y profesores de nuestra universidad.

–Soy enemigo de las especulaciones. Entiendo su preocupación y estoy dispuesto a cooperar con usted. Tengo algunos conocidos en la policía, si eso puede servir.

–No, por el momento no. Aunque no descarto la posibilidad. El hombre parece haberse borrado del mapa, nadie sabe su paradero. Situación que me induce a temer una desgracia. Tal vez podría averiguar dónde está y avisarme.

–Lo intentaré con mucho gusto. Permítame anotar sus datos. El doctor tomó su pluma y empezó a escribir.

–Me hospedo en el Hotel Suiza, puede dejarme un recado en la recepción, aunque prefiero llamarle de nuevo, si no tiene inconveniente.

De inmediato se despidieron. Ambos sabían que mentían con un propósito, pero la habilidad de los dos superó su propio juego teatral y, como suele suceder, convirtieron el engaño mutuo en una relación sincera.

Antes de acostarse, Juan recordó que ese mismo día dos personas habían mencionado al destino en su consultorio; a pesar de que no aceptaba dicha consideración con seriedad, la duda intelectual le hundió una aguja.

Al otro día, Carrasco llamó al teléfono que Heinz le dejó, verificó que se trataba de un hotel, obtuvo la dirección y se dedicó a sus labores rutinarias.

El desarrollo de los acontecimientos indicaba que atrás del crimen que estudiaba, existía un motivo que iba más allá de sus propias sospechas. El hecho de buscar a un criminal violador limitó el campo de su anterior investigación. ¿Quiénes estaban realmente involucrados?, se preguntó. La información conducía a grupos organizados y a núcleos de intereses internacionales, ambos matizados por la intolerancia, la guerra, y la fuerza económica. Pensaba en forma simultánea en la periodista, en el grupo espiritista, en los antisemitas y en los judíos. En fin, estaba confundido, muy confundido. Se percató que necesitaba la ayuda de otro experto y decidió recurrir a su antiguo profesor de medicina forense. El doctor Diego de Marías, decano de la Facultad de Medicina, con quien le ligaba una relación discípulo maestro que la vida se encargó de fortalecer. La formación policiaca de los dos, produjo una asociación de constante desafío que benefició el conocimiento y la revelación. Volver a verlo significaba una experiencia de crecimiento; de cada plática circunstancial o formal salían a flote la agudeza, la sensibilidad y la gran experiencia del profesor.

Tenía varios meses sin visitarlo; se sentía culpable por buscarlo ahora que lo necesitaba. Por encima de ese sentimiento, trató de hacer una cita inmediata.

No hubo necesidad de llamar más de una vez; el profesor contestó el teléfono con muestras de alegría y beneplácito. Tras las frases obligadas de la ocasión, acordaron verse la noche siguiente para cenar y charlar. El honor del que era objeto incrementó su sensación de culpa.

Acostumbrado a las trabas de la vida, Carrasco no se arredraba ante las dificultades. Expuesto a encrucijadas con disyuntivas vitales, sabía arriesgarse y defenderse, conocía el miedo demasiado bien y podía controlarlo. Los enigmas se habían convertido en su especialidad, tenía plena consciencia de que la vida no

está diseñada en un plano preconcebido y homogéneo
como el destino, el karma, o las misiones.

En su consultorio descubrió la nota de Heinz. ¿La
habría olvidado? No, la astucia de Carrasco le impedía creer en esa clase de *distracciones*. Tomó el papel y
lo leyó, esta vez con la intención de descifrar el significado que, *ciertos vivos*, querían transmitirle.

Por lo pronto, la palabra *ganador* hacía una clara
referencia a victorioso, Víctor. El contenido de la primer frase, sin embargo, desafiaba las dotes analíticas
del detective: la muerte llega de occidente. ¿Qué podía
significar?, ¿qué puede haber en el occidente tan amenazador? La oración le pareció velada y absurda. Trató
de meterse en la mente de quien la elaboró y supuso
que esas palabras se habían escrito para inducirlo a
actuar; para conducir a Heinz hasta Cáceres.

Para Carrasco estaba claro que la búsqueda de
Cáceres obedecía a un motivo imperioso, tan urgente,
que obligó a Heinz a entrar abiertamente en el juego.
Si bien ese hombre se descubrió, en realidad no tenía
manera de localizarlo; la dirección y el teléfono carecían de valor.

Por la mañana el doctor colocó un anuncio avisan-
do que el consultorio estaba abierto. La clientela, desa-
costumbrada a ese horario, se presentó después de
treinta minutos. Esta vez se trataba de doña Carmen
que, con lento andar, se acercó al doctor con un ramo
de flores rojas y blancas.

—Bienvenida doña Carmen.

—Aquí le traigo estas flores para que lo protejan y le
den suerte. Están rociadas con agua bendita.

El doctor sonrió.

—Se ve que no tiene fe. Hágame caso y póngalas en
su florero.

–Claro que si doña Carmen, se lo agradezco.

Carrasco tomó las flores y la abrazó. La anciana aprovechó la cercanía para bendecirlo con ademanes, él, en un arranque espontáneo, tomó la mano huesuda de doña Carmen y la acarició.

Por la expresión plena de los dos, podría decirse que ambos habían descubierto una nueva y antigua medicina, útil para los que curan y para los que enferman.

Capítulo doce

No importa el mal que hagas, la indiferencia de los demás estará de tu parte

Durante el día Carrasco tuvo dificultades para concentrarse en su labor, el caso Marcos le exigía decidir una estrategia, debía prepararse para actuar acorde a las circunstancias; sabía que el que mata una vez no se detiene en la segunda oportunidad.

Después del mediodía, cuando menudeaba la gente en su consultorio, el detective tomó el papel que Heinz olvidó y empezó a examinarlo. Repasó cada frase tratando de descubrir su significado, cuando la lectura no le dijo nada y sólo lo confundió, optó por continuar con otra rutina.

El horario le exigía sacrificios, tenía que cumplir con demasiados compromisos. A las diecinueve horas ofreció recibir, gratuitamente, al día siguiente a los pacientes que aún esperaban la consulta. A pesar de sus esfuerzos, logró desprenderse de sus obligaciones hasta las ocho y veinte. Tenía que apurarse para dirigirse al otro extremo de la ciudad y presentarse en su cita con el doctor de Marías. La suerte, que pocas veces está de nuestro lado, le permitió llegar puntual. El gusto que causó la presencia de Carrasco a los anfitriones, comprobó el cariño que estos le tenían; la pareja de ancianos no podían haberle recibido con mayores manifestaciones de afecto.

Los tres platillos de la cena eran un ejemplo de la dedicación y buena sazón de doña Alfonsina de Marías que, para esta ocasión, preparó deliciosos manjares mexicanos Carrasco repitió el dulce y elogió el sabor de lo que le sirvieron. Al terminar, los médicos abandonaron el comedor y pasaron a la biblioteca. Comentaron la guerra en Corea y otras actualidades; enseguida disfrutaron de las añoranzas de un pasado compartido. Antes de que la conversación siguiera por el camino de la complacencia, Carrasco le dijo que necesitaba ayuda. La solicitud encendió los ojos del maestro, que rastreaba oportunidades para avivar su monótona vejez.

—Usted sabe que puede contar conmigo y con mi discreción.

—Ahora necesito de su consejo, el problema que me ocupa tiene implicaciones graves y complejas. Se trata de un asunto viejo y archivado, cuyo relato puede resultar demasiado largo.

De Marías no le dio importancia a la advertencia y le pidió que continuara sin más justificaciones.

—No recuerdo si alguna vez le mencioné el caso de Leonor Marcos Cáceres.

–Lo comentamos en varias ocasiones. Aún tengo presentes las generalidades. Si no me equivoco quedó pendiente, sin resolverse.

–Hace poco me visitó el hijo de la poetisa con el objeto de aclarar aquellos nefastos acontecimientos. A partir de ese instante hemos ampliado la indagación y obtenido informes, cuya complejidad extienden el problema a niveles insospechados.

Carrasco continuó el relato, refirió los principales eventos de acuerdo a un orden cronológico. Después de hablar por casi una hora sin interrupciones, narró detalladamente su entrevista con Heinz.

El doctor de Marías siguió la exposición con la atención fija en Carrasco; se mantuvo distante y frío. Evitaba contaminar con opiniones y expresiones a sus entrevistados. Sin duda, la relación amistosa no interfería con su posición de científico experimentado y libre de emociones. De Marías eludía adjetivos, prefería la precisión a la belleza. Le molestaba que la comunicación se perdiera por el lado de la subjetividad. Como criminólogo profesional, sabía que el juego de la comprensión policiaca, era opuesto al consuelo que brinda el desahogo de una conversación entre amigos.

A partir de ese momento se encontraron dos colegas, dos especialistas del crimen; con la meta común de descubrir un orden, una hilación, a una serie de sucesos y fenómenos registrados como hechos separados, conectados como piezas de un rompecabezas.

Doña Alfonsina entró para despedirse, bien sabía que ese encuentro se alargaría demasiado, sin contar con el desvelo que seguiría en la mente de su marido después del retiro de la visita.

El doctor de Marías le pidió que expusiera sus conclusiones e hipótesis. Carrasco se mostró escéptico y le dijo que tenía un conjunto de conjeturas y anticipaciones que no lo convencían. Se pasaron a una mesa para elaborar una relación de hechos y posibilidades.

–Tome un papel –indicó de Marías– escriba los nombres de los protagonistas; procure incluirlos a todos.

–Ya tengo esa lista maestro, dijo Carrasco enseñándole su libreta.

–No importa, quiero que la vuelva a escribir de memoria; no use su libreta.

Mientras el detective anotaba, el doctor de Marías se dirigió a su librero y sacó un tomo de los estantes.

Carrasco lo esperaba con su lista de nombres terminada; enseguida el maestro le pidió que la comparara con la que traía escrita en su libreta.

Si tomamos en cuenta que Carrasco era un expolicía acostumbrado a obedecer, no debe extrañarnos que su respuesta haya sido inmediata y sin réplica, a pesar de que consideraba inútil la maniobra.

–¿Hay alguna diferencia? Inquirió de Marías al cabo de unos minutos.

Carrasco repasó dos veces ambos registros, detectó omisiones y adiciones. Expresó su sorpresa por el resultado y aceptó, una vez más, que la experiencia del maestro estaba por encima de cualquier prueba.

–No menosprecie estos ejercicios –dijo de Marías– quien parecía conocer de antemano la respuesta. –Mientras más desconfíe de su memoria mayores beneficios obtendrá. Mi aprecio por la memoria y la inteligencia es mucho, créame. Para nuestra desgracia, estas son habilidades engañosas cuando hay un exceso de confianza. Por ello, mi fino amigo, siga este consejo: "dude de su memoria y de su inteligencia, sométase al rigor de la repetición analítica". A pesar de que lo dude, la tan despreciada *repetición* tiene sus méritos, en especial, cuando se le aplica el bisturí del intelecto. Estoy seguro de que ahora obtuvo nuevos datos. ¿No es verdad?

–Tiene razón maestro, hay dos nombres que no figuraban antes.

–Seguramente también olvidó algunos personajes en su lista.

–Así es, admitió Carrasco.

–Bien, ahora escriba los posibles móviles del crimen.

La poca resistencia del detective, derrotada por el experimento anterior, aumentó su receptividad. Carrasco empezó a escribir con torpeza, pensaba cada palabra que anotaba; cuando se dio un descanso, las ideas empezaron a ordenarse y a fluir por su cabeza.

Al terminar, de Marías se negó a revisar las anotaciones, en cambio, indujo al detective a seguir con el ejercicio intelectual; le sugirió que especulara sobre los posibles beneficiados con el asesinato.

–Pero maestro, –dijo en tono de reproche– al dejar suelta mi imaginación sólo obtendré disparates.

–¡Eso es lo que quiero! Las ideas disparatadas, desde siempre, han ejercido sobre mí una extraña fascinación, me gustan, las aprecio. No les tema, al contrario, ejerza su inventiva y veremos que sucede.

El maestro salió del cuarto por más de una hora. Carrasco entendió que su trabajo requería un mayor dominio de los pormenores y un examen profundo de sus ideas. Su miedo a los disparates ahora carecía de fundamento, de manera que sus pensamientos desembocaron en vertientes con nuevos cauces. La sucesión lógica perdió peso y empezó a escribir ocurrencias.

"Las suposiciones son útiles sólo cuando las consideramos suposiciones y no verdades". Recordó que el doctor de Marías hacía hincapié en esta afirmación, al referir-

se a la tendencia natural de confundir lo que pensamos con la realidad. Carrasco revisó varias veces sus escritos recientes y corrigió sus ideas, pretendía sintetizar en unas cuantas líneas una serie de posibilidades. El maestro se presentó con una jarra de té y dos tazas sobre una bandeja. Bebieron con tranquilidad la infusión y se vaciaron de preocupaciones por unos instantes.

–Tengo conmigo el papel que dejó Heinz. El detective se lo mostró.

De Marías leyó con detenimiento el mensaje y preguntó a Carrasco si tenía idea de lo que significaba.

–Constituye una acusación, –empezó Juan– como si quisieran decir dos cosas: una, que Cáceres está en peligro de muerte, y dos, que el causante viene de Occidente.

–Trabajemos con esos supuestos. Si Cáceres está en peligro de muerte es porque alguien se propone matarlo. Segundo, el que escribió este papel quiere hacerle creer que el asesino viene de Occidente.

El maestro trajo un mapa de México y con el dedo trazó una línea invisible que delimitaba la zona occidental. Carrasco fijó su vista en un solo punto: Guadalajara. El nombre de Manuel Capuano le vino a la cabeza.

–No es posible, se trata de una acusación carente de fundamento. Manuel Capuano es el único hombre de Occidente con el que me he contactado en esta investigación y, aunque no lo he descartado por sistema como sospechoso, no creo en su culpabilidad.

–Por lo visto, los que le enviaron este mensaje piensan de manera muy distinta.

–Debe tratarse de una artimaña para que los conduzca hacia Víctor.

–¿Con qué objeto? Tal vez Capuano posee información acusadora que aún ignoramos. Sin descartar la posibilidad de que esté involucrado en el crimen.

–Estoy de acuerdo –dijo Carrasco molesto–, pero el hombre me inspira confianza.

–Pudiera tratarse de un excelente actor. ¿Ya verificó su historial?

Después de su negativa, Carrasco comprendió que se había dejado guiar por su instinto y no por los principios básicos que rigen la investigación criminalística. "Todos son culpables hasta demostrar lo contrario".

–Bien, –intervino de Marías– permítame revisar las listas que elaboró.

Mientras el doctor de Marías efectuaba un examen minucioso, Carrasco terminó de beber su té, dejando que su mente se quedara atrapada en disquisiciones sobre Capuano.

–Lea en voz alta su lista de móviles.

Juan tomó su cuaderno y obedeció: –Uno, violación circunstancial. –Dos, violación premeditada y criminal. –Tres, espionaje. –Cuatro, conspiración política. –Cinco, motivos no determinados.

–Su lista me satisface –dijo el maestro. –Veamos el primero: "Violación circunstancial". Tres tipos deciden llevarse a las primeras mujeres que se atraviesan a su paso y cometen con ellas un asalto sexual. Matan a la que ofrece mayor resistencia.

–Esta opción es fácil de descartar –explicó Carrasco–, la expuse como una posibilidad, aunque en realidad no creo en ella. La forma como ocurrieron los acontecimientos indican que hubo premeditación; los sujetos sabían dónde atacar y a quién. Con eso queda establecido que los criminales conocían, cuando

menos, a alguna de las víctimas. Tal vez mataron a la
que podía identificarlos. Supongo que el rapto y la violación de las otras dos mujeres fue fortuito.
—En principio aceptemos la existencia de tres viola-
ciones y un crimen premeditado. Cabe preguntarse:
¿estaba planeado el asesinato o se decidió en el momento mismo por los ejecutores? Planteó de Marías.
—El crimen es el hecho. Dijo tajante Carrasco.
—De acuerdo. Pero existe la posibilidad de que el
propósito del rapto no haya sido el crimen de la señora Marcos, sino conseguir de ella cierta información.
Es decir, los ejecutores recibieron la orden de obtener
"X" y después decidir la acción procedente. Es probable que los que ordenaron ese operativo no pretendían mancharse las manos. El cambio en el plan original se pudo dar en el momento, cuando la pandilla
decide sacar ventaja de la ocasión y tomar a las mujeres con intenciones propias. La situación se les va de
las manos y asesinan a una de ellas. Amparados en las
influencias de sus patrocinadores huyen seguros de su
impunidad.
—Por lo que dice debemos de suponer la existencia
de dos grupos —intervino Carrasco. —Los que llevaron
a cabo la acción criminal y los que la ordenaron. Dos
equipos de trabajo con motivaciones distintas.
—Pasemos a analizar otra de las posibilidades: "el
espionaje". El doctor de Marías esperó la exposición
de Carrasco.
—En estos últimos días me he dedicado a estudiar
las condiciones políticas que privaban en el mundo de
aquella época; necesitaba entender el contexto en que
ocurrió el crimen. En un principio la idea del espionaje me resultaba descabellada, cuando profundicé en
los hechos, me di cuenta que no podía descartarla.

Carrasco hizo una pausa y continuó. –Al parecer, la señora Marcos se vio involucrada –en forma incidental– con un grupo de intelectuales y simpatizantes de la causa nazi. Hacia mil novecientos cuarenta y cinco la guerra en Europa empezaba a dar visos claros de la derrota de Alemania, por lo que la actividad diplomática y política de los aliados se intensificó. Los tres grandes: Churchill, Roosevelt y Stalin, se reunieron en una pequeña ciudad de Ucrania llamada Yalta, donde discutieron su concepto del "nuevo orden mundial". Convinieron en crear la O.N.U y planearon repartirse la Alemania ocupada. Además, definen sus áreas de influencia y dominación.

La guerra avanzaba, Munich y Berlín fueron tomados por los aliados. Goering, el supuesto sucesor del Führer, es destituído por el mismo Hitler. Los artífices del Tercer Reich sólo piensan en escapar, en salvar el pellejo.

En la instrumentación de la huída intervienen especialistas en maquillaje, falsificadores de documentos, espías y dirigentes militares que, en conjunto, organizan la fuga de los principales dirigentes del partido nazi. Los propósitos de este movimiento son múltiples, los más importantes: proteger el poderío económico y resguardar la causa nazi.

Los destinos seleccionados para asilar a los jerarcas germanos se sitúan principalmente en Latinoamérica; por lo que no debe extrañarnos que hayan considerado a México en la lista de posibilidades. Su posición estratégica y riquezas naturales, lo colocan como un blanco de primer nivel. Sabemos que durante la guerra nuestro país se convirtió en un centro de operaciones de espionaje para ambos bandos. A pesar de que nuestro gobierno jamás compartió puntos de vista con el alemán, los intereses germánicos aquí abarcaron una amplia gama de actividades económicas, sociales, políticas y culturales. Manejaban en nuestro país escuelas, periódicos, agencias de información, empresas industriales y comerciales, laboratorios químicos y biológicos, instituciones financieras, comunicaciones y, desde luego, intervenían en actividades tácticas relacionadas con el abasto de víveres y materias primas para Alemania.

El doctor de Marías escuchaba sin pestañear el planteamiento de su colega, en espera de que la reseña convergiera en una conclusión debidamente sustentada.

–Uno de los lugares de distribución de impresos y folletines propagandísticos era la agencia Transoceanic[1] situada en la calle de Viena Diecisiete, de esta ciudad; de ahí salía el material que pretendía influir sobre poderosos grupos de mexicanos, para lograr su adhesión al movimiento nazi. No se si recuerde la revista Timón.

–Tengo entendido que el Gobierno la prohibió después de circular por un tiempo.

–En efecto. Dicha publicación contenía propaganda nazi y exaltaciones de las victorias alemanas; diversos intelectuales relacionados con la señora Marcos participaban en su elaboración. Además, se sabe que el apoyo financiero provenía de Alemania y de simpatizantes locales.

–Antes de continuar con esos temas –intervino de Marías – no debemos olvidar que el asesinato ocurre cuando está por finalizar la guerra a favor de los aliados, de manera que el espionaje, para esas fechas, carecía de valor.

---

[1] Ver referencia [24].

–Desde el punto de vista estrictamente militar, tiene razón. Por ello enfaticé en "la maquinaria de huída". Para ese entonces los aliados habían confirmado las atrocidades cometidas por el régimen hitleriano, tenían fotografías, testigos de cargo, documentos, confesiones, prisioneros de guerra, etcétera. Aquéllos que tenían deudas con la justicia temían su enjuiciamiento y castigo. Por eso empezó una fase de "eliminación de pruebas" y ocultamiento de los responsables. Operativo que involucró a miles de personas, instituciones y gobiernos. Se crearon identidades falsas avaladas con documentos apócrifos; se negociaron con gobernantes en diferentes zonas del mundo para que recibieran a falsos inversionistas, técnicos, trabajadores calificados, profesionistas, e, incluso, religiosos. Todos ellos se hicieron de documentos falsos que los acreditaban como gente sin pasado criminal.

–¿Quiere decir –intervino de Marías– qué en ese momento las redes de espionaje empiezan a instrumentar el plan de escape?

–Me inclino por esa posibilidad. Si la señora Marcos logró infiltrarse en alguna de las redes que operaban en México, su acción no sólo resulta importante, sino altamente peligrosa.

–No hay que olvidar que México se alineó oficialmente con la causa aliada desde el cuarenta y dos.

–El Gobierno, tanto de Cárdenas como de Ávila Camacho, mantuvieron actitudes decididas contra el fascismo y la ideología de la intolerancia. Sin embargo, eso no obsta para que existieran grupos identificados con el movimiento hitleriano; mismos que sirvieron de apoyo para el establecimiento económico y físico de los fugitivos de la guerra.

–¿Piensa que en Latinoamérica se desarrolló una estrategia de escape para los nazis?

–Las evidencias sugieren que Brasil, Argentina, Paraguay, Bolivia, Chile[2] y otros países del continente, establecieron contactos secretos con los alemanes para negociar la llegada, eventual o definitiva, de los prófugos del ejército y la administración nazi. Los intereses de Alemania en nuestro país se remontan al siglo pasado. De hecho, Hitler conocía el potencial económico y estratégico de nuestras tierras y tenía un especial interes[3].

–De un asesinato ha brincado a su última hipótesis, "la conspiración".

–La señora Lea Marcus, –continuó Carrasco– alias "Leonor Marcos de Cáceres", penetra azarosamente en un medio que le permite descubrir e identificar a simpatizantes activos de la causa alemana. Su alejamiento de la religión y su falsa identidad mimetizan su apariencia; incluso, es vista con simpatía en un grupo donde se mezclan personas de muy diversa índole, unidas bajo el común denominador de la ideología fascista.

Cuando los judíos entran en contacto con ella, la inducen a colaborar para obtener información sobre ese grupo antisemita. Obligada moralmente con sus correligionarios, anota nombres, posiciones y datos de los asistentes en "una libreta"; posiblemente negra. Obtiene pormenores de transacciones mercantiles, operaciones de rescate y los nombres de muchos de los involucrados en el movimiento nazi.

De acuerdo con mis sospechas –siguió Carrasco– para asegurar el éxito de la campaña de escape hacia América, los nazis requerían coordinar el tránsito de esos criminales de guerra desde un sitio que les brin-

[2] Referencia (12)
[3] Referencia (16).

dara libertad y anonimato. El solo hecho de identificar
a elementos de la célula que operaba en México, pondría en peligro la integridad de la maquinaria a nivel
mundial. Tampoco debemos pasar por alto que, de
haberse descubierto el supuesto plan, estarían en peligro de desaparecer la inteligencia y el patrimonio
nazi. De esa información dependía el escape más cos-
toso y numeroso de la historia.

Si Leonor Marcos obtuvo partes de esa información
o si fue más lejos y se enteró de los mecanismos de ese
proyecto, al descubrirla debieron dictaminar su eliminación inmediata.

–Aunque no se puede descartar que el país haya
servido como puente o destino eventual para esa
gente –intervino de Marías– el Gobierno de Ávila
Camacho jamás aceptó colaboración alguna en ese
sentido; estaba demasiado comprometido con los
Estados Unidos y los aliados. Este operativo, si existió,
debió manejarse bajo medidas de máxima seguridad.

Asombroso Carrasco, asombroso. Ha logrado en-
samblar una crónica creíble y pasmosa. Sólo que nada
de lo que ha dicho puede comprobarse. De ser cierta
su exposición, ellos necesitaban neutralizar a la espía
eventual. A partir de sus hipótesis podemos extender-
nos en un sinfín de especulaciones, puesto que ignoramos hasta dónde averiguó esa mujer, con quién se
contacto y qué uso le dio a esa información.

–En verdad que son muchas las interrogantes y las
posibilidades –repuso Juan pensativo.

–Ahora que su sesera se muestra ágil no se detenga,
continúe.

El detective estaba demasiado excitado, los ejercicios de concentración y el análisis de sus disparates
surtían un magnífico resultado. Sus pensamientos

eran mucho más claros, alcanzaban una concepción coherente donde las piezas tomaban su lugar.

–De acuerdo con mis hipótesis –continuó Carrasco– la señora Marcos debía entregar la información a un grupo de judíos por medio de un contacto, que bien pudo ser el mismo Capuano.

–Suponga que no se los dio, que se rehusó; eso sin duda provocaría una reacción adversa cuyos límites no podemos establecer –refutó de Marías.

–¿Piensa que sus mismos correligionarios pudieron haberla torturado y asesinado?

–Nadie está libre de sospecha. No debemos tomar a la ligera cualquier posibilidad. Con esos datos se podría interceptar y combatir los remanentes del movimiento tiránico más monstruoso que jamás se haya concebido.

–No me parece razonable que Leonor acepte colaborar y después se niegue a entregar el fruto de su trabajo.

–¿Y si nunca aceptó colaborar y fue forzada? Los judíos desesperados pudieron optar por el uso de la fuerza y la intimidación. El hecho de que liberaron a las dos mujeres que iban con ella, sugiere que no había orden de exterminio, sino de obtener una confesión. Me inclino a creer, como lo mencionamos con anterioridad, que el asesinato pudo ser accidental, una añadidura de los ejecutores.

Al término de esta idea el doctor de Marías se levantó para servirse otro vaso de té. Después de acomodarse de nuevo en su sillón, continuó.

–Ya que estamos en el campo de la fantasía policiaca, regrese a la postura original y explíqueme como descubrieron la verdadera identidad de la poetisa.

–Lo he pensado y confieso que aún tengo mis dudas. Sospecho que uno de los miembros de ese grupo se sintió atraído por ella y empezó a cortejarla. El asedio del que fue víctima Leonor, la atemorizó y la indujo a suspender su actividad confidencial. Procuró evadir al tipo sin provocar un desaguisado, fingió cierto interés, que el conquistador confundió con aceptación. Por desgracia, a partir de ese encuentro, el sujeto la acosó y vigiló hasta que descubrió su verdadero nombre y origen: "Lea Marcus, polaca judía, naturalizada mexicana".

Los miembros de la célula se sintieron amenazados: suena la alarma, el sistema había sido penetrado. Al ignorar lo que averiguó esa mujer, deciden realizar un operativo urgente para interrogarla. Planean un rapto y encomiendan al obstinado pretendiente llevarlo a cabo.

Después de escuchar la explicación, el doctor de Marías percibió varios puntos flacos que debía esclarecer.

—Estimado colega —empezó a decir de Marías—, sin duda que su exposición ha sido brillante; ha convertido una serie de hechos y acciones, en una historia consistente y concordante. Mientras usted trabajaba en los ejercicios iniciales, saqué este libro —lo señaló. En un principio, por el contenido de su narración me incliné a que lo hojeara. —Ahora que hemos avanzado en el estudio de causas y circunstancias de ese crimen, estoy convencido de que debe llevárselo y revisarlo.

El maestro le entregó el ejemplar. Carrasco leyó el título en voz alta: —"Historia de las ideas equivocadas"—. Sorprendido por el tema, Juan preguntó si existía alguna conexión con el caso.

—Me interesa que lo repase, estoy seguro de que nos ayudará a comprender mejor los asuntos tratados —afirmó el maestro.

El detective no hizo nuevas observaciones, se limitó a obedecer y a concertar una nueva cita. Carrasco reconoció que había llegado el momento para que ambos pensaran, y digirieran la información recién planteada. Con la despedida refrendaron la continuidad de su reciente asociación.

A las tres de la madrugada Juan viajaba rumbo a su casa, la visión que ahora tenía de los hechos era más clara y orientadora. En el trayecto se preguntaba sobre el papel de Capuano en este caso. Se reprochaba no haberlo investigado a fondo. Le preocupaba el paradero de Cáceres y carecer de noticias. Tenía que decidir en los próximos días sus siguientes pasos. Se sabía vigilado y que sus actos públicos eran registrados. Por el momento le quedaban un par de horas para descansar; tarea para la que el desvelo y el cansancio sirven de acicate.

Poco pudo dormitar Pablo. Le angustiaban las dolencias de su mujer y le preocupaba la prologada ausencia del patrón, motivos suficientes para no pegar los párpados durante toda la noche.

Cuando la luz penetró por la ventana, se levantó para hablar por teléfono a su cuñado y ponerlo al tanto de la situación.

Luis le aconsejó que se comunicara con un médico y ofreció pasar a revisar a su hermana esa misma noche. Pablo preparó el desayuno y alistó al niño para enviarlo a la escuela. Julio, preocupado por la salud de su madre, se abrazó al cuerpo del padre en busca de consuelo. Pablo correspondió con breves caricias tratando de darle a entender que su mamá se recuperaría pronto.

A su regreso, Pablo encontró a su mujer postrada en la cama; intentó ser cariñoso y le avisó que traería un médico. Con voz débil, ella le pidió que llamara al doctor Carrasco.

Bastó que Pablo se mostrara preocupado para que Juan se aprestara a ofrecerle sus servicios esa misma mañana. La noticia de la visita del médico tranquilizó a María Engracia. Pablo esperó al lado de su mujer la respuesta que los propios acontecimientos le deparaban.

El teléfono sonó. Llamaba la secretaria del señor Cáceres para preguntar sobre la localización del patrón, asuntos urgentes requerían su presencia. El sirviente contestó que ignoraba como comunicarse con él. Acordaron que en cuanto uno de los dos supiera donde encontrarlo de inmediato se pondría en contacto con el otro. Antes de despedirse, la secretaria enfatizó la urgencia y le encomendó que, en caso de cualquier comunicación, le pidiera su dirección actual y un número al cual llamarle. Colgaron. Pablo recordó –tardíamente– que debía pasar a cobrar su quincena y marcó de regreso.

–¿Señorita? Soy Pablo otra vez. Le hablo para saber si puedo pasar por mi dinero.

–Aquí lo tengo.

–Por cierto, ¿no quiere que le diga al patrón para qué lo necesita con tanta urgencia?

–No le entiendo.

–¿No me acaba de decir que le urge hablar con él?

–No. Yo no le hablé. Venga cuando pueda por su sobre. Lo espero.

Pablo no dio importancia al incidente y se quedó al lado de María Engracia pendiente de las dolencias. Al mediodía el médico fue recibido con una expresión de esperanza.

Carrasco interrogó a María Engracia. Las limitaciones de la enferma apenas le permitían contestar con monosílabos. Intentaba –sin conseguirlo– manifestar su gusto por las atenciones de que era objeto. Carrasco procedió a inspeccionar, palpar y auscultar el cuerpo dañado. Se encontró con una ligera alza en la presión, el corazón acelerado y con soplos; la piel estaba muy enrojecida, la garganta mostraba puntos blancos, y los dolores se acentuaban en las articulaciones. Diagnosticó un probable ataque de fiebre reumática. El médico explicó a Pablo la situación, le dijo que con el tratamiento se recobraría en varios días. Le recetó aspirina y penicilina. Sabía que el estado de la enferma podía complicarse y dañar su corazón.

–¿Ha tenido estos dolores antes?

–Los tiene constantemente en las piernas y la espalda.

Carrasco sacó unas ampolletas de su maletín y le dijo a Pablo que, una vez tomadas las muestras para el laboratorio, debían aplicarle la primera dosis del antibiótico. Enseguida ordenó los exámenes procedentes.

–¿Has tenido noticias del patrón?

–No. Hace rato lo buscaron por teléfono. Dijo que era su secretaria, pero cuando hablé con ella, me lo negó.

–¿Alguien más ha preguntado por él? Preguntó Carrasco preocupado.

–La semana pasada vino un señor a entregarle un paquete. Le dije que don Víctor estaba de viaje y que no sabíamos dónde localizarlo. Insistió tanto que le di su teléfono.

–Si llama el señor y te dice dónde está, no se lo informes a nadie. De inmediato me avisas sin mencionar nada por teléfono.

Por la noche Luis Martínez cumplía con la visita pactada. Ver a su hermana en un estado tan deplorable lo alarmó, de inmediato se dispuso a efectuar sus propias maniobras de curación.

–Parece que alguien la está trabajando –le dijo a Pablo–, voy a pedirle a mis protectores que nos asistan. Trae unas flores blancas del jardín, una vela, y medio vaso de agua.

Luis se acomodó en un sillón. Cuando regresó Pablo con las cosas, empezó a darle instrucciones.

–Prende la vela y pon las flores en el centro del cuarto, deja el vaso de agua aquí, enfrente de mí.

Pablo no preguntó por qué ni para qué, siguió obediente las indicaciones de su cuñado y vio como se quedaba sereno.

El médium entraba en acción, en la medida que el hombre común se perdía; la lógica y la ciencia se desprendían de la modernidad y del sano juicio. El espacio se saturaba de fe y de energía. Luis empezó a hablar con voz ronca e incomprensible. Un aire helado recorrió el cuarto y Pablo cerró los ojos al sentir que la piel se le erizaba.

Al cabo de unos minutos, Luis despertó y le indicó a Pablo que le diera a su esposa el agua que acababan de saturar sus maestros. Pablo tomó el vaso y se lo llevó a María Engracia, ella apuró el líquido recostada. Luis procedió a sobarla. Pasó sus manos con suavidad por encima de la cabeza, el pecho y las piernas de su hermana. A pesar de que los gemidos de María Engracia eran ostensibles, éstos no perturbaron las maniobras de su hermano. Poco a poco el sufrimiento cedió y en su lugar apareció un singular alivio que la adormeció.

–Se va a mejorar –dijo Luis–, no dejes que se enfríe y sigue con el tratamiento del doctor. Te hablo mañana, para ver como está. ¿Hay problemas en la casa?

–Parece que el patrón anda con los asuntos de su madre.

–¿La que mataron? Pablo asintió. –Avísame cuando llegue; vamos a tener que hacer un trabajo de protección. Sentí la presencia de seres oscuros.

Pablo, que muy poco comprendía de esos menesteres, accedió a los consejos del cuñado. Algo en su interior le decía que la presencia del patrón compondría las cosas en esa casa.

Las fuerzas desconocidas de Luisito y las fuerzas conocidas del doctor actuaron con eficacia; la enferma durmió en paz por toda la noche sin quejarse. Pablo y Julio sintieron una profunda calma y descansaron como benditos.

Al otro día Carrasco se presentó, repitió con sumo cuidado la exploración y, sin poder ocultar su sorpresa, le dijo a Pablo que su mujer estaba muy mejorada. En realidad, el médico estaba confundido hasta el punto de dudar de la exactitud de su diagnóstico.

–Me urgen los resultados del laboratorio.

Pablo le dijo que por la tarde pasaría a recogerlos y ofreció llevarlos al consultorio.

–Es notable lo rápido que se repuso. ¿La han inyectado?

–Dos veces al día, dijo ella.

–Muy bien. Tenemos que seguir con este tratamiento por nueve días más, después, voy a comprobar si existen secuelas del padecimiento.

Rumbo a la salida, el médico no se percató del vaso de agua ni de las flores blancas colocadas en varias esquinas de la casa; sin más rodeos se despidió.

Durante el trayecto a su consultorio, Carrasco entretuvo el automatismo de su manejo con cavilaciones sobre los virajes y recovecos por los que fluye el ser humano. Hombre escéptico y dudador profesional; empezaba a admitir que muchos de sus sustentos intelectuales no estaban tan firmes como suponía.

Esas dudas, que alguna vez nos sacuden a todos, más vale que se presenten temprano que tarde, o, de lo contrario, corremos el riesgo de perder algunas partes heréticas de nuestra vida, y con ellas...tal vez lo mejor.

Capítulo trece

El mal no está en el olvido, sino en negar lo sucedido

Todo hombre tiene un pasado externo que muestra y un pasado interno que toca a otros descubrir. La vanidad es la virtud por la cual damos a conocer la parte inventada de nuestro interior y exterior. La humildad –por el contrario–, es un rasgo tan invisible, que podemos dudar de su existencia; aún en aquellos pocos que la practican. Juan Carrasco es un hombre de naturaleza humilde, cuyo pasado interior nadie conoce, tal vez, ni él mismo. Vive acorde a sus propios valores y se le podría calificar como *humanista*; con la salvedad de que, gracias a su sentido pragmático, él lo ignora.

Por el momento se encontraba desconcertado ante la situación médica de María Engracia, había constatado que padecía fiebre reumática, empero, la evolución precipitada del padecimiento hacia la curación lo confundía. Comprobó, de nueva cuenta, que la medicina encierra más misterios de los que resuelve. Mientras colocaba algunos medicamentos en una vitrina de metal alguien llamó a la puerta. Se trataba de un sujeto moreno, de baja estatura, que lucía la sonrisa sintética de ciertos visitadores médicos. Entrenado para desplegar *simpatía natural* y equipado con muestras gratuitas y folletos de impresionante calidad, se preparaba para inducir al médico a que recete sus productos. Esta vez le tocó su turno al representante de los laboratorios HF-Jaber.

–¡Qué suerte encontrarlo solo! ¿ Me puede recibir?

–Ya está usted adentro.

–Su buen humor me agrada. Sonrió y se sentó.

El agente empezó a sacar frascos, cajas y literatura.

–Aquí le traigo unas muestras para su clientela : *"Yaboformo* para la diarrea, *Yabalanina* antihelmíntico y vermífugo...

–Conozco su arsenal, ahórrese las explicaciones. Dijo Carrasco cortante.

–Admiro su sentido práctico.

El vendedor armó un enjambre de palabras mecánicamente repetidas; mezcla de explicaciones, indicaciones, y ventajas acerca de sus mercancías. Intentaba convencer al médico de la seriedad de las investigaciones que lo respaldaban y, de esa manera, estimular la prescripción de sus medicamentos. Al final de la perorata científica, sacó un llavero en forma de estetoscopio y se lo obsequió al médico.

–¿Se puede saber qué esperan a cambio de esta baratija? –preguntó Carrasco con el regalo entre sus dedos.

–¡Nada doctor! Se trata de un detalle para compensar las molestias que se toma al atenderme. Además, nuestras drogas reproducen fielmente la fórmula alemana de origen.

–No le creo nada.

–Me gusta venir a visitarlo; es usted tan ocurrente.

Gran parte de lo que decía el representante era cierto, pero la forma de exaltar el producto y de forzar la atención del médico molestaba a Carrasco.

–¿Ha terminado?

–No. Dejé para el final lo más importante. En los próximos días se llevará a cabo un convivio organizado por el vicepresidente de la compañía, a la que acudirán distinguidos miembros del cuerpo médico. Los directivos del laboratorio desean conocer las opiniones de los facultativos más serios sobre nuestros productos y me permití sugerir su nombre; de manera que aquí traigo una carta invitación para que asista. Le extendió un sobre.

–En realidad, –replicó Carrasco– soy un tanto arisco y poco me atraen las reuniones sociales, principalmente cuando no me siento con deseos de ir. Sin embargo, le agradezco las molestias que se ha tomado.

–Pero...¿asistirá?

–No, prefiero dedicarme a descansar.

–Se trata de una oportunidad única, podrá alternar con algunas figuras muy calificadas de Alemania.

Al escuchar la procedencia, Carrasco asoció el mensaje de Heinz con el laboratorio alemán y cambió su actitud; se volvió jovial y cortés. El vendedor complacido por la aceptación, se alejó después de dos o tres agradecimientos matizados de hipocresía.

Vestido con un traje viejo de fioco marino, Juan se colocó el sombrero, tomó su maletín y se dirigió a la mansión Cáceres. Al ver que la propia María Engracia le abrió la puerta, la saludó con afecto y desconcierto. La paciente lo condujo hasta la cocina, donde un modesto placer culinario lo esperaba.

La mujer lucía un estado aparente de buena salud, sin embargo, el hallazgo de soplos a la altura de la válvula mitral obligaba a sospechar un posible daño al corazón. El médico ordenó un estudio electrocardiográfico y le dijo que tendría que cuidarse con medicamentos por un largo período. La calma circunstancial llevó a Carrasco a iniciar un breve interrogatorio.

–¿Notaste algo extraño en el señor antes de que se fuera?

–Sí, me pidió que le relatara mi "accidente" y preguntó cosas sobre su madre.

–El señor Cáceres quiere descubrir quienes la mataron. ¿Hay algo que tú sepas y no le hayas dicho?

Juan insistió, obligando a María Engracia a esforzarse. Ella recordó a Capuano, a Zúñiga y a un sujeto que nunca identificó.

Carrasco notó la presencia de una vela apagada y ramos de flores blancas en varias esquinas. María Engracia le explicó que su hermano había detectado la presencia de espíritus chocarreros y seres oscuros que le estaban haciendo trabajos. Para alejarlos habían efectuado una maniobra de protección.

El detective, interesado, le pidió que le contara su historia.

–Cuando nos vinimos a la ciudad, el jefe de Luis –el señor Alba– se dio cuenta que se dormía con facilidad. Empezó a llevárselo a su casa y descubrieron que podía atraer a los espíritus de los muertos. El dice que aprendió a sanar a la gente a través de sus maestros. La verdad, es muy bueno para las sobadas.

–¿Y esta vez te sobó?

–Sí. Pero sin sus inyecciones no me hubiera curado. Ese voto de confianza tranquilizó a Carrasco debido a la gravedad de las complicaciones y la importancia de un manejo médico oportuno, que, en su caso, podría requerir cirugía cardiaca.

María Engracia, al notar el interés que había despertado en el médico, lo invitó a presenciar las maniobras que esa misma noche realizaría su hermano.

La acumulación de ideas desordenadas provocaba la escasez de iniciativas inteligentes, tal era el caso de Juan Carrasco que, abrumado por tantas posibilidades, veía disminuir sus facultades.

Por la tarde el doctor Carrasco recibió los primeros pacientes y, a la vez, descansó de su trabajo policiaco. Inmunizaciones, enfermedades respiratorias y gastrointestinales, empezaron el desfile enciclopédico de síntomas y signos.

En medio de la sucesión de enfermos, se presentó un joven de baja estatura, nariz aguileña, tez morena y ojos claros que dijo llamarse Toni Capuano. La mención del nombre funcionó como un disparador; la presencia de aquel muchacho desconocido estuvo a punto de arrancar a Carrasco de su silla.

El joven Capuano le explicó que lo enviaba su padre para concertar un encuentro para esa misma noche en la cafetería del Regis.

–¿Por qué no vino contigo?

–Él se lo explicará, no me quiso decir nada; de hecho, en un par de horas me marché de la ciudad por instrucciones de él.

El muchacho se levantó. Carrasco le hizo una receta y le sugirió que saliera rumbo a una farmacia cercana. Además, le previno que tomara varios camiones hasta asegurarse de que nadie lo seguía, por último, le indicó que ante la menor duda le llamase al número impreso en la receta.

El lleno del consultorio provocó que el doctor acelerara su trabajo clínico, de lo contrario, no podría acudir a tiempo al encuentro con Capuano. Avisó a su clientela que sólo recibiría a aquellos que no podían esperar hasta mañana.

Todos se quedaron.

Apresuró su trabajo y trató de completar las historias y exploraciones de cada enfermo; citó a los más complicados para un examen más riguroso al día siguiente; a los restantes los recetó en el momento. Las prisas, que muchas veces generan culpas, le obligaron a repetir justificaciones.

Pasadas las ocho y media Carrasco se quedó solo. Se quitó la bata, lavó sus manos y salió al Hotel Regis.

Primero manejó en dirección opuesta a su destino, verificó por el espejo retrovisor que nadie lo seguía y se acercó al lugar del encuentro. Dejó su auto estacionado en una calle iluminada, entró en un vecindario de doble acceso y se evadió por atrás. Después, tomó un taxi que lo dejó en la esquina de Reforma y Juárez, de donde caminó a la cafetería. Con todas estas maniobras esperaba burlar a los supuestos perseguidores. Verificó varias veces sus espaldas sin descubrir irregularidades. Para ese momento, su reloj marcaba un cuarto adelante de las nueve.

Se dirigió a la cafetería y no encontró a su amigo. Durante su espera procuró pasar desapercibido; se entretuvo analizando a cada uno de los comensales a su alrededor. Poco antes de que la mesera trajera su orden, se encaminó al tocador para lavar sus manos.

Cuando se secaba bajo el aire caliente de un aparato, Capuano se aproximó a él sin hablarle. El detective percibió que algo sucedía y se mantuvo ecuánime, sin cruzar siquiera la mirada. Manuel dejó una servilleta de papel que Carrasco guardó. El detective regresó a su mesa y leyó el mensaje: "*11 p.m. Hotel Colón*". Juan conocía la dirección y se retiró sin prisa. En el lugar señalado Capuano lo recibió con un cálido abrazo. De inmediato lo condujo a un cuarto en el tercer piso, donde se prepararon para charlar.

–¿Qué sucede Manuel? Preguntó el detective desconfiado.

–Han regresado –dijo siniestro.

–¿Quiénes?

–Ellos. La organización. Están listos para entrar en acción. Estoy seguro de que siguen nuestros pasos.

–¿A qué se refiere?

–Déjeme explicarle.

El detective se replegó en un modesto sillón y se dispuso a escuchar.

–Hace dos semanas me llamó un nuevo cliente para concertar una cita. Al llegar al lugar convenido, descubrí que se trataba de un terreno baldío y deshabitado que, en una de sus paredes, tenía pintada una svastica roja. Primero pensé que me había equivocado al anotar la dirección; pero a mi regreso al hotel recibí una llamada que aclaró lo que sucedía. Una voz ronca me dijo: "*hemos regresado*".

–¿Por qué lo asocia con "la organización"?

–No se trata de una broma ni de una coincidencia, conozco *su modus operandi*. Sé que son ellos. Puedo asegurarle que nos vigilan. ¿No han entrado en contacto con ustedes?

Carrasco meditó antes de contestar; la cautela le invadió y optó por comportarse como detective y no como amigo.

–Manuel, siento que hay varios puntos contradictorios en lo que nos ha expuesto. Me da la impresión de que no ha dicho toda la verdad.

–No les mentí. Si omití ciertos hechos, se debió a que no ayudaban a la investigación y, en cambio, me obligarían a revelar datos que prefiero mantener en secreto.

–¿Secretos? Estoy cansado de ellos. Replicó Carrasco enojado.

–Voy a decirle toda la verdad; espero que no me equivoque al hacerlo.

Carrasco recordó la máxima: "*todos son culpables hasta encontrar al culpable*". Paciente, esperó las palabras de Capuano.

–En aquella época de guerra y locura, cooperaba con un comité encargado de brindar protección a las víctimas civiles de la contienda. Parte de nuestras tareas consistían en detectar y vigilar las actividades antisemitas y pronazis. De manera que cuando Lea me informó sobre el grupo al que frecuentaba, vi en ella la oportunidad para identificar a los participantes, lo cual, no parecía ni difícil ni peligroso, por esa razón me atreví a solicitar su colaboración.

–¿Aparte de usted, hubo algún otro contacto con ella?

–En un principio no, actué por mi cuenta. De hecho, no esperé que las cosas aportaran datos de importancia; más tarde me percaté de lo equivocado que estaba. En unas cuantas sesiones obtuvimos información substancial.

La guerra finalizaba en favor de los aliados y la destrucción del poderío bélico alemán era un hecho; sin embargo, nuestros hallazgos rebasaron todas las expectativas –Capuano hizo una pausa y continuó. –La gran mayoría de los involucrados en la guerra tenían interés en que el conflicto armado terminara. Se daba por hecho que el advenimiento de la paz aniquilaría a las fuerzas irracionales que originaron la conflagración. Pocos pudieron ver que la guerra era tan sólo uno de los instrumentos de los que se valía la maquinaria hitleriana. La continuidad de dicho movimiento estaba prevista, aún bajo las condiciones que una derrota impusiera. Para ello, el nazismo cambiaría de rumbo, de estrategia, mostraría la cara que exigiera la supervivencia. Los convencidos nazis, herederos del arianismo, no renunciaron a la fantasía de sojuzgar al mundo; se adaptaron y establecieron convenios para asegurar su existencia.

Muchos de los que compartieron la ideología nazi en México, creyeron pertenecer a la nueva raza de dioses. Su mística nacionalista les otorgaba el derecho de dominar y someter a los habitantes de estas tierras. Suposición tan maligna, como estúpida, ya que para los hitleristas sólo había un pueblo superior destinado a decidir –durante el próximo milenio– el futuro del mundo: el alemán.

En esa visión no cabían otras razas –ni puras ni impuras– que pudieran disputarles su derecho al mando. El resto del mundo hubiera corrido la misma suerte, con la esclavitud como única forma de vida.

El nazismo proclamó su derecho al exterminio de otros pueblos y de formas de pensar opuestas; se constituyó como una amenaza para la existencia del hombre.

Pues bien, Lea descubrió aspectos de un plan que pretendía perpetuar la integridad económica y social del hitlerismo. Dicho operativo incluía la reubicación de los principales miembros –con sus respectivas familias–, mediante contactos en Europa, Estados Unidos, Canadá, latinoamérica y los Países árabes. Se valieron de una basta red de espías y prosélitos integrados en organizaciones de diferente filiación.

Lea descubrió los mecanismos por los que se comunicaban grupos de diferentes procedencias. A través de ella supimos de la existencia de una operación compleja, cuyo objetivo era el asentamiento de los "nuevos alemanes", con identidades limpias y sin pasado acusador.

–¿Quiere decir que el escape de esa gente estaba preparado? Tengo entendido que se trató de una huída en desbandada.

–Existieron ambas cosas, estampidas y fugas organizadas. Hitler esperaba –hasta el final– lograr el triunfo. Confiaba que la intervención de fuerzas extraterrenales, a las que invocaba, le dieran la victoria. Los nazis que no estaban incluidos en el proceso de "reubicación" escaparon por sus propios medios. Los elegidos para perpetuar el nazismo eran gente desconocida, entrenada para mantener la continuidad del movimiento. Dispusieron de una fuerte inversión en oro, joyas, obras de arte, transferencia de tecnología y efectivo en dólares para salvaguardar su integridad. Una de las cosas más secretas fue el proyecto de fuga y falso suicidio de Hitler y Eva Braun.

Cuando Lea se dio cuenta de los propósitos de la organización se atemorizó. Le aconsejé que dejara el asunto por la paz y le sugerí que se fuera del país.

–¿Cómo la descubrieron?

–Cometí un grave error al aconsejarle que se alejara. Su brusca ausencia despertó mayor inquietud. El funesto "pretendiente" del que le hablé, se dedicó a localizarla, averiguó su origen y verdadera identidad; esta situación provocó la alarma y activó los mecanismos de defensa de la organización. Supongo que ellos ignoraban la magnitud y profundidad de las actividades de Lea, por eso la raptaron antes de liquidarla.

–¿A qué se refiere?

–Después del rapto asumí que yo también estaba en peligro. Salí de la ciudad y viaje por el país, hasta que al cabo de un tiempo me establecí en Guadalajara. Durante estos años nunca fui molestado, probablemente porque Lea murió sin confesar una gran parte de sus actividades.

–Pero ahora lo han contactado. De manera que pueden localizarlo y forzarlo a hablar.

–Posiblemente me han identificado como una persona cercana a Lea, sin tener pruebas de mi complicidad. Al ver que el asunto no trascendió, ni táctica ni policialmente, no me tocaron. Ahora la situación es diferente, se han enterado de nuestra entrevista y han de suponer que trabajamos juntos para resolver el caso.

–¿Por qué no lo dijo desde un principio?

–Tengo muchas razones –Capuano se humedeció los labios con la lengua y tras de limpiarse el exceso de saliva de las comisuras continuó.

–Los asesinos de Lea eran gente de segunda importancia, atrás de ellos se encontraba un ejército equipado para articular un plan mundial de escape. Nuestro primer interés era detectar los posibles destinos de esa pléyade de homicidas.

Dada la naturaleza secreta de nuestras actividades y la importancia que tenían, tuvimos que cuidar que la información llegara a quienes podrían implementar un contraataque; de otra manera se podría producir un choque indeseable con las autoridades. Imagínese si se hubieran dado a conocer los nombres de sujetos y empresas colaboracionistas, además de las ciudades sede de los fascistas. Aquello provocaría una situación de efectos imprevisibles. Ahora sabemos que los nazis fueron recibidos en países Árabes y de América, donde viven y prosperan con nuevas identidades. Muchos de ellos se incorporaron a los servicios policíacos y de espionaje de los países aliados.

–También cabe la posibilidad –instigó Carrasco– de que Lea se negó a colaborar y que usted y su grupo la obligaron mediante la violencia. Tratándose de una información tan valiosa, no creo que ustedes repararían en sus actos.

–No me extraña que piense así, aunque me lastima. Lea Marcus no era una mujer débil ni fácil de manipular, tenía autonomía, capacidad de respuesta y convicciones. Mi relación con ella fue estable y duradera. Puede dudarlo, pero yo no sería capaz de dañarla, ni siquiera para obtener esa información. Se trató de una relación mantenida gracias al mutuo consentimiento.

–Muy bien. Supongamos que ella aceptó espiar, pero, por alguna causa, se rehusó a entregarles la información.

–Nuestras actividades duraron tiempo suficiente como para que ella tratara de evadirme. ¿Y para qué necesitaba una información tan importante?, ¿para qué involucrarse? Nadie espía sin motivo o beneficio. Si ella decidió participar, se debió a que estaba consciente de lo que hacía y de sus peligros. No me cabe la menor duda que, de habérselo pedido, hubiera continuado.

–Eso no contesta lo que le pregunté.

–No. Nosotros no la forzamos.

–¿Por qué no? Ese "nosotros" me dice que dejó de trabajar por su cuenta. Cada quien piensa y procede a su manera.

–En el momento del crimen, la información ya estaba en nuestro poder y trabajábamos en forma directa, sin ella. No teníamos por qué seguir arriesgándola. ¿Queda contestada su pregunta?

–Sí, pero hay algo más.

Capuano esperó arrebatado la pregunta de Carrasco.

–¿Cómo sabía Heinz la existencia de la "libreta negra"?

–Lo ignoro. Si Heinz está enterado de la existencia de esa libreta es porque tiene una referencia precisa o se trata de un señuelo inventado.

–¿Sabe cómo registraba ella sus observaciones?

–Lea retenía todo en su memoria. Sus escritos nunca los vi.

–En la primer entrevista, –cuando Heinz abordó a Víctor–, le describió una libreta negra con el nombre de Manuel Capuano al frente.

–Me intriga sobremanera lo que dice, pero no se me ocurre una explicación. Nunca fui tocado, ni amenazado. Más bien, me mantuve oculto dentro de una cotidiana normalidad.

–¿Por qué Heinz utilizó su nombre para presentarse?

–Para constatar si Cáceres me conocía. Al no identificarlo, siguieron una relación peligrosa sin que Heinz apreciara las posibles consecuencias.

–Por lo visto esa libreta debe contener algo, lo suficientemente comprometedor como para reactivar este caso. Manuel, necesito que me de más datos respecto a esa organización. Debemos tomar las precauciones necesarias ante una posible agresión.

–Lo que puedo contarle le parecerá inverosímil.

Carrasco se arrellanó en su lugar y guardó silencio.

–Sería fácil describirlos como extremistas cegados por el poder y la violencia o calificarlos como una rara mezcla de convicciones, obediencia, frialdad, alta tecnología y un meticuloso orden. Es frecuente que el análisis racional se detenga al encontrar un calificativo satisfactorio, una etiqueta.

Las bases de este movimiento son, en su mayoría, un cúmulo de irracionalidades que se aceptan como un dogma de fe, es decir, no requieren demostración alguna, son cosideradas como verdades y punto. Podemos calificarlo de "aberración colectiva", una locura organizada, dotada de proyectos y recursos encaminados al dominio y la destrucción, hablo de la enajenación y de los delirios convertidos en plan de acción; plan llevado a la práctica por un aparato aterrador que consumió a la humanidad y, con ella, a una buena parte de lo mejor del pueblo alemán.

–¿Y de qué medios se valen?

–De la alta tecnología, el manejo de masas, la propaganda, el oscurantismo, uniformes y desfiles, el terror en manos del Estado, el asesinato, la eliminación de la oposición, la administración de odios y resentimientos históricos, respaldos financieros a través de sociedades comerciales y, como corolario, lo más inverosímil.

Carrasco escuchaba y traducía en su interior el sentimiento y los mensajes de su compañero; ante esa advertencia abrió los ojos y no perdió detalle.

–Los nazis son una fraternidad esotérica, una parte de ellos provinieron de sociedades secretas e iniciáticas devotas de las tradiciones teutónicas. Obcecados en conquistar los centros del poder, invocan a las fuerzas ocultas, repudian las religiones para crear una propia. Cambiaron la nación alemana por el universo nazi, destruyeron sus estructuras y añadieron a la simbología nacional la svástica.

–Si lo que dice es cierto, no me explico como existieron grupos en nuestro país que los apoyaron, ellos mismos, al no pertenecer a esa raza, serían destruídos.

–La realidad mexicana es una realidad fraccionada, dividida en componentes intrincados que chocan y se rompen entre sí; México es un mosaico heterogéneo. Por ello, grupos de conservadores, opuestos a los Estados Unidos, apoyaron al hitlerismo con la esperanza de que éste acabara con dos de sus más acérrimos enemigos: el comunismo y el imperialismo[1].

–¿A quiénes se refiere?

–A un conjunto de organizaciones políticas que defendían el fascismo y trataban de emular a los nazis. Entre ellos se contaba el Partido Nacional de Salvación Pública[2] formado por militares, extremistas religiosos, empresarios poderosos, y uno que otro aspirante a gobernante. Lo importante es que Adolfo León Ossorio era el secretario general de ese partido y Heriberto Insbruck, perseguidor de Lea, jugaba un papel preponderante tras las cortinas de la dirigencia. Este grupo organizó el incidente del treinta y nueve, en el que se atacaron comercios judíos y se agredió al poeta Glanz[3] ¿Lo recuerda?

---

[1] Recopilación de la S. E. P. COMPILACIÓN DE NOTICIAS DE MÉXICO, MEX. 1989:Unión Nacional Sinarquista, el Partido Nacional de Salvación Pública, los Camisas Doradas, la Unión Nacional de Veteranos de la Revolución, al Partido Nacional Cívico Femenino, La Liga Anticomunista de Sinaloa, la Confederación de la Clase Media.

[2] Referencia (15).

[3] Referencias (11) (17).

–Sí. Por ahora considero necesario localizar a Heriberto Insbruck. Afirmó Juan al perder interés en aquellos detalles históricos.

–Hasta donde supe –continuó Capuano–, trabajaba para un laboratorio de capital germano. Ese sujeto, probable asesino de Lea, fue quien cometió las indiscreciones que nos permitieron penetrar en la organización.

–¿Tiene idea por qué no sacrificaron a las otras dos mujeres?

–¿Para qué habrían de hacerlo? Ellas no sabían nada del asunto y no podían identificar a los asesinos. Además, un triple asesinato sería muy comprometedor e innecesario. Un escándalo de esta magnitud sería difícil de acallar, recuerde que ninguna investigación oficial prosperó, todas fueron debidamente bloqueadas; también la suya.

–Ahora es diferente –respondió Carrasco–, se trata de una empresa particular donde las influencias no valen.

–Tal vez por eso han empezado a actuar. Deben temer que los descubran.

–Es conveniente mantenernos juntos. Vámonos a casa de Víctor, tengo una cita.

–¿No es tarde?

–Me esperan en cualquier momento.

Salieron del hotel y en pocos minutos arribaron a la casa.

La entrada de los invitados a una hora en que las visitas no se presentan, provocó en los sirvientes una sensación de agrado; a pesar de la noche o tal vez por ella, la recepción les deparó suficiente asombro.

Los asombros compartidos conducen a un estado de receptividad alterada, especialmente si coinciden en el momento en que trabaja un médium.

Pocos minutos antes, Luis Martínez había despertado de un extraño trance, un viaje donde la locura, la
magia, y el poder, pierden su connotación. El médium
es un instrumento que desprende la forma de las cosas
y de los fenómenos, todo se convierte en esencia; por
ello, la incomprensión de esos sucesos no produce
rechazo, sino atracción.

Ávidos de respuestas, presenciaron el final de un
trabajo de protección; penetraron en las dimensiones
de un ambiente perfumado por el copal y los nardos.
Empezaron a surcar entre la superchería y la candi-
dez, para descubrir un juego de fe y de ignorancia,
donde maestros y arcanos accedían a resguardar el
lugar y a sus moradores.

Luis lucía cansado en extremo y con pocas ganas de
hablar, la insistencia de los visitantes lo indujo a enta-
blar una breve conversación.

–Es increíble la recuperación de su hermana –empezó a decir Carrasco–, el curso natural de la enfermedad requiere de un período de convalecencia mucho
más prolongado. Me interesa saber de qué medios se
valió.

–Yo no sé curar, eso lo hacen mis maestros...los protectores que se valen de mí. Usted en cambio, la sanó
con su ciencia.

–Gracias don Luis. ¿Me puede explicar lo que acaban de hacer?

–Una cadena de luz para alejar a los seres oscuros y
al que nos desvía del camino[4] .

–¿A qué se refiere?

–A las fuerzas malignas que tratan de perturbar a
los de esta casa.

---

[4] Traducción literal de la palabra *Satán*.

—¿Y con esta ceremonia puede impedirles la entrada?

—No lo sé, no está en mis manos.

Capuano al ver el agotamiento de Luis, trató de abreviar la plática y dejar que el médium descansara. María Engracia se presentó con jarros de café caliente y un plato de polvorones horneados por ella. Bebieron tranquilos y relajados. Repentinamente, escucharon con claridad que la puerta principal se había abierto y cerrado. "Alguien entró", dijo Pablo. "Apaguen las luces", ordenó Carrasco. El instinto les hizo agazaparse detrás de los muebles. María Engracia salió en busca de Julio. Los demás esperaron alertas.

Pasaron unos segundos y la puerta de la estancia se abrió sin discreción, los pasos eran claramente audibles. Cuando el intruso prendió la luz, todos se sorprendieron.

Víctor Cáceres había regresado.

Capítulo catorce

Honor a quien deshonor merece

Nadie llega antes de tiempo, tampoco después. Todo se presenta en el momento preciso, aún lo inesperado. En esa noche caliente, saturada de espíritus, había tanto que contar, tanto que decir, tanto de que dudar, que por un instante olvidaron sus distancias y se fusionaron en un sentimiento de amistad; sin embargo, el implacable pasado no tardó en recordarles por qué estaban juntos.

Cáceres, Capuano, Carrasco, temerarios desafiadores de su realidad, se enfrentaban con el emisario de un ciclo detenido en la ficción, un mensajero, un puente entre los espectros y lo concreto.

Luis Martínez, un médium en el que la realidad superaba a la razón; receptáculo y transmisor de lo ignoto. Aproximarse a él requería apertura, una exquisita permeabilidad para que la alegoría de la existencia penetrara por ósmosis y permitiera contemplar las dimensiones de lo inmaterial.

Acomodados en la sala, sirvientes, visitas y hermanos desencarnados, esperaban cualquier reacción de Víctor Cáceres, quien lucía extenuado, demacrado, muy bajo de peso, y con razgos que se encajaban en su rostro de juventud perdida. Era él sin serlo, su ropaje le colgaba. Tras su expresión errática, se encontraba un hombre cercado por *extraños conocidos*. Los demás lo vieron como un reducto maltratado de la imagen que semanas antes proyectaba. ¡Qué largo camino! Demasiadas horas de viaje para descubrir un presente desprovisto de aspiraciones. El grupo callaba, algo tenían que decir, pero... ¿Qué?, ¿quién? Cuando Capuano dijo –"bienvenido"–, la palabra salió forzada, entrecortada. Enseguida Carrasco lo interrogó sin obtener respuesta.

Cáceres respondía con dificultad a los estímulos físicos, algo grave le sucedía. María Engracia espantada se mordió los labios y antes de que Carrasco se levantara para efectuar un examen clínico, Luis se adelantó para examinarlo de cerca. Desde luego que él tampoco entendía lo que pasaba, por fortuna, un médium no requiere entender, no exige explicaciones: actúa.

Poco después de iniciadas las maniobras y las oraciones, Cáceres movió la cabeza con lentitud, recorrió el círculo de caras que, llenas de inquietud y esperanza, le miraban.

Pasaron minutos y Víctor dijo una palabra: –"agua"–. Pablo corrió a la cocina y regresó con un vaso lleno del líquido; el patrón lo bebió de un golpe. Pablo trajo más agua y Cáceres volvió a beber compulsivamente.

Carrasco miró los ojos de Víctor y se dio cuenta que padecía un grave estado de ausencia, un rompimiento con la realidad, cuyo origen habría que determinar. Observó que las funciones vitales estaban alteradas y procedió a trasladar al enfermo a su cuarto. Lo cargaron hasta su cama. Cáceres mostraba una absoluta indiferencia, con sus ojos abiertos, fijos en el techo, dejó que los demás le hicieran cualquier cosa. Juan inició la exploración del cuerpo, lo encontró raspado, amoratado y sucio. Descubrió sibilancias y estertores en los pulmones, el corazón estaba acelerado, las mucosas se mostraban secas, y la alta temperatura se palpaba.

–Está muy deshidratado, conviene internarlo en un hospital, afirmó Carrasco.

Capuano, listo para cooperar con el médico se acercó a Cáceres, acarició su mano, miró las uñas azuladas y dijo alarmado: –"hagámoslo cuanto antes"–. Luis Martínez se aproximó a la cama, después de pedir permiso al médico, inició su propia inspección. Quitó la cobija que lo cubría y lo miró de arriba a abajo; enseguida tocó las plantas de los pies y empezó a recorrer con sus yemas la superficie del cuerpo hasta las sienes, ahí apretó sin delicadeza y produjo en el enfermo una mueca de dolor. Ordenó a María Engracia que pusiera flores blancas en el cuarto, después, dio al paciente agua saturada por los espíritus. Al cabo de unos minutos el enfermo seguía igual. En ese lapso Carrasco cambio de opinión; decidió iniciar el tratamiento en casa por considerarlo más seguro para el grupo.

En una residencia del sur, "El Rubio" no podía dormir; seis cervezas resultaron un insuficiente soporífero. Le preocupaba que el plazo dado a Heinz expiraba sin resultados, como un escrupuloso amante del orden, le exasperaba que sus expectativas no se cumplieran dentro del período fijado.

Heinz tampoco dormía, la conciencia no le molestaba, pero los trabajos pendientes le irritaban. ¿Cómo iba a adivinar que Cáceres desaparecería de esa manera? Sin embargo, sabía que el tiempo estaba de su parte, porque al final, es el tiempo lo que cuenta. Entrada la noche los sueños se apoderaron de ellos. Mientras Klaus nadaba en un mar de cerveza rodeado de nubes rojas, Heinz soñaba con las feroces palizas que le propinaba su padre. Tema onírico que repetía vivencias de su infancia; recuerdos que trataba de evitar. Se veía de hinojos recibiendo azotes medievales y el desprecio por su debilidad. Los ojos del niño anegados en lágrimas, provocaban la exigencia de soportar el castigo. Cuando el padre gritaba ¡No llores!; el niño lloraba más y endurecía a su verdugo. Un día el padre gritó: ¡no llores!, y el niño resistió. Esa noche bebieron cerveza juntos y brindaron por la hombría.

Nada hay más fácil de olvidar que los sueños, por ello, al llegar a la edad en que casi todo se olvida; los sueños, tejidos con la precisión de una telaraña, empiezan a aparecer como un infierno fraccionado, como destellos de sufrimientos disfrazados. Heinz descubría esa noche, lo que cada quien en su momento: los sueños no perdonan.

Aficionado a la cerveza y al mézcal, invocaba, en la esencia del alcohol, al genio del olvido. Su naturaleza –que desconocía la culpa– le entregaba un paquete de pesadillas, con el ánimo exclusivo de dar a su vida un toque de humanidad.

Heinz gustaba de las labores campiranas, del ejercicio físico y del ajedrez. Su pasión inconfesable eran los animales, ellos le brindaron su primer amor recíproco y cálido. Hijo único, incapaz de disfrutar la soledad, siempre deseó pertenecer a algo, a alguna causa grande que lo llenara y confiriera su razón de ser. Crecer en el seno de un hogar estricto le dio disciplina y amor mecánico por lo seriado y lo sucesivo. Aprendió a reconocer la superioridad del macho y a repudiar a la mujer. Su madre, esposa sumisa –árida de pensamientos y plana de sentimientos– siempre aceptó el papel de objeto inferior. Enseñándole a su hijo, con el ejemplo, el uso que debe hacerse de las mujeres.

Las oscuras condiciones en que falleció su padre se rodearon de una estela de rumores y mentiras vociferadas. Se hablaba de suicidio por envenenamiento y, desde luego, de brujería. A partir de ese episodio el joven Heinz renunció a las ataduras familiares y se fue de la casa; creía que al alejarse de su hogar se apartaba de su pasado. No tardó en descubrir que su historia lo acosaría hasta las paredes pulidas de su alma casi vacía.

Encaminado, sin ruta, llevado por las circunstancias, arribó a la capital, donde su manejo del idioma alemán le aseguró un trabajo en un negocio de ferretería en el centro de la ciudad. Se hizo vendedor y captó lo dóciles que se vuelven los hombres con el halago. Las opciones deshonestas abrieron sus ojos y su falta de moral le ayudó en lugar de perjudicarle.

Con esmero se ganó la confianza de sus jefes. Gracias a su habilidad combativa logró el puesto de encargado de seguridad en la agencia de noticias alemana Transoceanic. Ahí modeló su sentido de identidad y, como abejorro de jardín, libó las fascinaciones de la guerra. Se habituó a beber vinos blancos y a comer carne cruda; adquirió el gusto por las salchichas enjardinadas con "sourkraut" y se aficionó a Wagner.

Su pasión por el ajedrez le llevó a conocer gente de diferentes posiciones sociales. Jugó con jefes y subor-

dinados; su especial talento le reservó un sitial definido en la micromasa anónima del personal. Rebasar la
línea de los desconocidos le benefició con eventuales
regalos, entre ellos, la obra de Adolfo Hitler "Mein
Kampf". Y él, que nunca había leído un libro completo; descubrió en esas páginas la verdad absoluta y
reveladora de un nuevo dios.

Sabía inspirar confianza. Odiaba a muy pocos y no
quería a nadie. La camaradería y la bohemia se hicieron obligatorias, a la vez que las reuniones en el restaurante Bremen. Las juergas frecuentes desvanecieron las distancias y las diferencias; sus jefes le asigna-
ron el sobrenombre cifrado: "Heinz", contracción del
nombre (He)riberto y del apellido (Inz)bruck.

Esa asociación de iguales le permitió compartir con
el grupo la emoción de ser "uniformemente superior".
No odiaba a los judíos –de hecho no los conocía– los
aborrecía *sólo por sistema*. Se limitó a despreciarlos
para cumplir con el código de procedimientos, por
otra parte, no hay que olvidar que el encono imprime
a ciertos trabajos un matiz estimulante.

Gustaba de las mujeres como objetos de satisfacción; se refería a ellas como si se tratara de un platillo:
"*apetitosa, sabrosa, insípida, saludable*". En realidad, las
veía con recelo y miedo, en cierta medida, cada una le
regresaba una tajada fantasmal de su madre.

Cuando en México empezaron a presentarse los
grupos fascistas propagando la necesidad de meter en
cintura a un país fustigado por continuas sublevaciones; Heinz se involucró en las actividades secretas de
la organización. Funcionó como verdugo, soplón, agitador y hampón político. Comprendió que la extor-
sión y el contubernio se justifican cuando se trata de
los "altos intereses del grupo"; aceptó la fuerza como

derecho y ejerció el desprecio como defensa contra los débiles.

Su escasa educación se disimulaba con silencios y anuencias; se supo manejar a la altura de las circunstancias. Compartió actividades disímbolas, desde el manejo de caballos, hasta tertulias ideológicosociales con pintores, escritores, filósofos, militares y políticos de la época.

Aprendió a vestir y adquirió una forma incipiente de "buenas maneras"; su escasa capacidad crítica lo indujo a incorporarse a hermandades esotéricas y espiritístas que terminaron por redondear su sentido de la existencia. La invocación de los muertos se convirtió en un ejercicio frecuente; la aparición de su padre desencarnado, a través de un médium parlante, develó lo que siempre había sospechado: él era un enviado. Su estancia en la tierra obedecía al cumplimiento de una misión redentora.

La afición por el espiritismo se hizo obsesión y se suscribió a la revista alemana Ostara[1] consagrada, según su director, al estudio de la raza heroica y viril que se propone convertir en realidad las enseñanzas de la ciencia racista. A través de esa lectura comprendió la verdadera naturaleza de su ser: *un ario en tránsito hacia la inmortalidad.*

La práctica violenta del sexo le hizo desear a las mujeres que más lo rechazaban, cuando tenía éxito con ellas, montaba el escenario infernal de sus fantasías sádicas. Libre de temores y de culpas, comió carne humana, libó la sangre del ciclo lunar y bebió la línea dorada; el pánico y el sufrimiento de sus compañeras lo enardecían.

---

[1] Referencia (17).

Cuando conoció a Lea y la vio asustada, se disparó en él su natural tendencia a la seducción. El temor que le produjo azuzó su *furor prostático*, entonces, la conquista se convirtió en acoso. El asedio y el escarceo aventurado alimentaron su deseo delirante por poseerla; en su mente, Heriberto Inzbruk Osorner—alias Heinz– elaboraba fantasías masturbatorias que repetía obsesivamente.

De repente Leonor se transmutó, se volvió cordial y empezó a sacar partido de la lengua jactanciosa del "elegido" quien, al predicar sus ideales, habló de la organización, de sus miembros, se describió como un misionero destinado a sobrevivir un milenio. Mencionó a los jefes del movimiento, sus amigos. Por acariciar el cuerpo semidesnudo de la poetisa detalló la conspiración, el plan de huída nazi esbozó itinerarios y se colocó en la dirigencia del mundo.

Cuando la entrega no tenía escapatoria y el pago de las indiscreciones se hizo obligatorio, Leonor anestesió su conciencia y se convirtió en un objeto. Sin embargo, la providencia –en forma de una grotesca eyaculación prematura– aplazó esa lujuria carnicera y acordaron verse otro día, día que no llegó.

Inflamado por el deseo de poseerla, la espió hasta averiguar el secreto de la *impureza* de Leonor y su verdadera identidad. Indagó cuanto pudo, se llenó de suficiente aversión para cumplir su encomienda que, ahora más que nunca, estaba definida. La misión exigía arrebatar la vida de una judía para contribuir con su cuota al esquema de la genética racial.

No tardó en darse cuenta que había hablado demasiado y valoró tarde las consecuencias de su conducta. Tenía que ejecutar a Leonor con prontitud y limpieza, a pesar de que las circunstancias políticas exigían hermeticidad absoluta en las actividades clandestinas del grupo. Un asesinato podía obstaculizar el plan, además, atraería la atención de la policía y los servicios de espionaje internacional. Heinz pensó en el peligro que corría si su grupo se enteraba de toda la información que le había transmitido a su amante, entonces decidió actuar evitando el escándalo.

Sin embargo, todos sus temores cedían ante el deseo pendiente por satisfacer. Necesitaba poseerla y disfrutarla antes de acabar con ella. Un accidente le pareció limitado y rápido, de manera que optó por el secuestro. Preparó a dos comparsas para asegurar el éxito de sus maniobras, sin renunciar al propósito de un festín erótico.

Le bastaron dos días para registrar las actividades de Lea y evaluar el grado de riesgo de su operativo. Descubrió que se trataba de una mujer muy aislada que sólo tenía un vínculo eventual con Manuel Capuano; de quien averiguó lo esencial sin encontrar motivo de alarma.

Programó su intervención criminal para el fin de semana. Su proyecto incluía el interrogatorio, la violación de Leonor y su acallamiento de por vida.

El sábado, la pandilla vigiló la puerta de la mansión Cáceres desde las cinco de la mañana; cuatro horas más tarde salió un auto guiado por un chofer con tres mujeres en su interior. Lo siguieron a una distancia prudente esperando la ocasión adecuada para entrar en acción. Heinz sabía de las salidas semanales a Cuernavaca, conocía el itinerario. Cruzaron la ciudad en dirección de la carretera; en un tramo solitario atacaron con rapidez y eficiencia. Los maleantes, con la cara cubierta, golpearon al chofer y raptaron a las mujeres; confiaban en que la rapidez de su maniobra impediría actuar a la policía.

Llevaron a las víctimas a un casco de hacienda abandonada seleccionado previamente. Ahí se dispusieron a ejecutar lo proyectado dentro de un marco de imprevisible violencia. Leonor hubiera resistido las torturas sin decir palabra, de no ser por la coerción ejercida sobre Alejandra. Leonor reconoció, desde un principio, al secuestrador y anticipó lo que le esperaba. Durante el interrogatorio confesó que nunca había anotado ni transmitido mensaje alguno, que Manuel Capuano era un viejo amigo de su juventud y que la actitud amenazadora de Heriberto la obligó a alejarse. Tras de repetir varias veces lo mismo, el "Oso" –como le decían los otros maleantes en referencia a su apellido Osorner– le propuso dejar libres a las otras mujeres a cambio del paradero de la libreta.

Leonor se limitó a decirle que se trataba de una agenda donde anotaba direcciones y teléfonos; le indicó el sitio donde localizarla y dejó que Heriberto siguiera hasta el final. En el momento de violarla, *el elegido* la estranguló; tenía la fantasía de experimentar el orgasmo y la muerte simultáneamente.

Más tarde, el terror que inspiraba en María Engracia le indujo un estado de excitación incontrolable; cohabitó con ella sometiéndola con alcohol.

Al día siguiente del operativo, Heinz se presentó con Klaus para informarle que Leonor Marcos Cáceres era judía y que, en un arranque de ira, la había matado. Klaus lo reprendió con satisfacción, asegurándole que dejaría arreglado el asunto. Lo envió por un tiempo al interior de la república. A su regreso los vínculos entre ellos no se vieron afectados por el incidente.

Después del año 45, Heinz siguió cerca del poder, mas nunca en el poder; aceptó sin cuestionar las órdenes y participó en actos políticos anticomunistas. Su corazón enfermo lo obligó a llevar una vida reposada, convirtiéndose en asesor de un grupo selecto de especialistas en sistemas de protección.

Heinz vivió siempre en el mundo de una sola verdad, sin desviaciones, ni dudas; no era terco sino dogmático. De naturaleza sociable, sus relaciones carecían de compromiso humano; eran divertidas o puramente de trabajo. La culpa no existía para él, jamás supo que las cosas podían hacerse de otra manera. Obediente y amante del orden, era uno de esos tipos que viven en la ficción inventada por sus líderes y la propaganda.

Parte de su vida la dedicaba a los animales. En su casa alimentaba a sus oscares en la pecera, a dos gatos, y a una rata que lo visitaba en el patio. En el camino de sus intereses se enteró de las insólitas sesiones de materialización a las que concurría una élite selecta. Buscó entre sus conocidos la forma de participar en ellas; un periodista le sirvió como intermediario y empezó a asistir al "Instituto de Investigaciones Psíquicas" dirigido por los señores Alba.

Iluminado por las experiencias semanales que se daban en aquella casa, confirmó su creencia en las fuerzas ocultas; pero como lo que uno nunca espera, casi siempre ocurre, en esas reuniones su historia dio el giro de retorno; el nueve de mayo de 1950 acudió, sin saberlo, a una cita con Víctor Cáceres, hijo de la mujer que asociaba con su mayor gozo y amenaza.

Ese encuentro le produjo incertidumbre y preocupación. Le asaltó el temor de ser descubierto desde el mundo de los espectros; suponía que los fantasmas se pueden valer de los vivos para vengarse. Trató de averiguar hasta dónde sabía Víctor del asesinato; tarea que, inicialmente, arrojó resultados ambiguos y complicados. Ante la posibilidad de ser delatado por el espíritu de su víctima, tramó un cauteloso procedimiento para obtener la información que requería. Al parecer, Cáceres lo ignoraba todo. Pudo dejar las cosas ahí, pero cometió el error de hablar con Klaus sobre el asunto y, en su afán por sondear a Víctor, se involucró en una farsa que difícilmente pudo sostener sin hacer evidentes sus contradicciones.

Por ahora temía que el hallazgo de la libreta sacara a la luz sus indiscreciones, poniendo en evidencia pruebas acusatorias de las que se valdría la organización para aniquilarlo. Ante este panorama tenía que actuar con rapidez, antes de que Klaus empleara otros medios. Sus sospechas, aunque certeras, resultaron extemporáneas. Su jefe había entrado en acción sin avisarle.

El mal estado de Cáceres invadía de preocupación a Carrasco. Los inestables signos vitales del enfermo constituían datos de alarma que, junto con el bloqueo de las funciones de la vida de relación, se resumían en un pronóstico dudoso. Sus respuestas eran lentas y se limitaban a estímulos dolorosos y molestos. Esas condiciones obligaron a introducir los medicamentos por vía endovenosa.

El médico atravesó momentos de indecisión. Guiado por la prudencia evitó llevarlo al hospital, apoyado en la confianza de sacarlo adelante con su tratamiento.

Al cabo de setenta y dos horas, Cáceres dio indicios de que su estado mejoraba. La fiebre desaparecía, el pulso se estabilizaba, tosía y arrojaba secreciones con fluidez; en otras palabras, la curación ganaba terreno. A pesar de ello, sus funciones intelectuales se reducían a respuestas lacónicas y confusas. Dormía sin episodios de lucidez. Carrasco sospechaba tuberculosis;

el diagnóstico de certeza lo daría el laboratorio después de unos días.

Obligado a efectuar una atención continua sobre Cáceres, el médico pasaba las noches en un cuarto contiguo. Junto con Capuano se las arregló para brindarle una estrecha vigilancia. La inusual situación indujo largos insomnios que sirvieron a Carrasco para leer el libro que el doctor de Marías le facilitó. Su extraño título: "Historia de las ideas equivocadas" y el difícil nombre del autor: "Friederick Von Liebenfels", eran por sí mismos un acertijo.

El ejemplar –escrito con el estilo de un panfleto incendiario– contenía una audaz mezcla de esoterismo y ciencia. El autor, un sujeto con conocimientos sobre historia antigua, exponía opiniones sobre temas inconexos forzados a coincidir dentro de un marco de prejuicios. Versaba sobre sexualidad, magia, el averno, la concepción judía y la mitología teutónica y oriental. Sus aserciones se apoyaban en los hallazgos de "la ciencia racial" y la ideología aria. La pesada lectura de esas confabulaciones no arrojó pista alguna sobre el caso, sin embargo, algo importante debía contener para que el doctor de Marías le recomendara su lectura. En fin, esa misma noche estaría en condiciones de preguntárselo.

Los vientos vespertinos humedecieron el ambiente, refrescaron la atmósfera y dejaron una llovizna pertinaz entercada en convertir el polvo de las aceras en lodo. La cita fijada a las nueve treinta se inició a las diez de la noche, el doctor de Marías y su esposa no le pidieron explicaciones; por el contrario, recibieron a Carrasco con la acostumbrada galantería y le ofrecieron una exquisita cena.

Al terminar el último platillo tomaron un café cargado con ganas de vigilia. Después pasaron a la biblioteca; sitio donde la quietud presagiaba una tormenta de hipótesis y cavilaciones. Rodeados por filas engañosas de libros, la conspiración de ideas se alistaba para conquistar su inteligencia.

Cuando el maestro preguntó si había obtenido nuevos datos, Carrasco le refirió la entrevista con Capuano, relató los pormenores de la misma y mencionó sus impresiones. Para de Marías no fue suficiente, le exigió mayor precisión. Carrasco reflexionó y siguió con su exposición.

–Los datos indican que el asesinato de Leonor Marcos se debió a su labor de espionaje.

–Veo que piensa que Capuano le ha dicho la verdad.

–Sí. Me gustaría conocer su opinión.

–¿Ocurrió algún otro suceso? Evadió de Marías.

Carrasco pasó de la opinión a la descripción. Narró la llegada de Víctor Cáceres y la invitación a la reunión del laboratorio HF-Jaber.

–¿Por qué le llama la atención que lo inviten a una actividad científica?

–No lo sé. Tengo la corazonada de que obedece a propósitos conectados con el caso. La actividad la patrocina un laboratorio alemán y el agente que me hizo la invitación mencionó a "personalidades de Alemania".

–Permítame añadir, empezó a decir el doctor de Marías, que ese laboratorio formó parte de famoso grupo "Larbehn", que elaboró para Hitler los mortíferos gases "Cyclon V"; usados para matar a millones de personas. Después de la guerra, este enorme consorcio se dividió en tres razones sociales diferentes, que aparecen como empresas independientes de la organización nazi. –Si no tiene inconveniente, me gustaría acompañarlo a esa reunión.

–Me dará mucho gusto llevarlo conmigo.

–Por otra parte, es posible que los avances de la investigación provoquen una confrontación. Urge localizar a Heriberto Insbruck para obtener una pista definitiva. Sospecho que de ese encuentro –tan peligroso como inevitable–, obtendremos un dato resolutivo.

–Tendré que estar preparado. Estamos tratando con un grupo de criminales profesionales. Además, me preocupa recuperar la libreta negra.

–Podría tratarse de una invención de Heinz.

–No. Su forma de actuar indica que él está seguro de su existencia.

–La pudiera tener Capuano en su poder y negarlo.

Carrasco reflexionó al respecto. Sabía que los asuntos de espionaje involucran el ejercicio obligado de la mentira.

–¿Qué le pareció el libro que le presté? –preguntó el maestro cambiando el tema.

–No pude descubrir conexión alguna con lo que estudiamos. –Se trata de una exposición dedicada a exaltar la intolerancia, el odio a los pueblos "inferiores" y el encumbramiento de los arios. Dentro de esa marejada de absurdos no descubrí pistas sobre nuestro caso.

–Ha puesto demasiada atención en el contenido del texto, reprochó el maestro–, mi intención era otra.

–Hay dos razones importantes que pasó por alto. *Malentendió* mi propósito, se puso a leer un texto arrogante y necio, cuyas tesis sólo son expresión siniestra de una psicosis "abstracta y colectiva". Rebatir esos *pseudopostulados* equivale a malgastar nuestro tiempo. No, Carrasco, mi empeño va más allá –el doctor de Marías levantó el brazo y señaló el libro. –Observe la dedicatoria que aparece en las primeras páginas y léala por favor.

Carrasco se inclinó y empezó a leer: "*Al Barón Von Sebonttendorff, cuyos pasos sembraron la verdad universal*".

Un gesto de incertidumbre se dibujó en la faz del detective.

–Se trata de un personaje cuya vida se acerca a lo mítico y legendario –empezó a explicar el doctor de Marías. –Este hombre dedicó su vida a desarrollar una concepción mágica del universo. Durante su estancia en Alemania se hizo amigo de Dietrich Eckart[2] el guía más admirado de Adolfo Hitler y después se puso en contacto con Karl Haushofer[3] otro de los "maestros" que influyeron en Hitler; a él se le atribuye el uso de la svastica. El general Haushofer, especializado en estudios tibetanos y orientales, participó en la formación de una extraña institución nazi: la *Ahnenerve*[4].

El detective intrigado reclamó mayores explicaciones.

–La Ahnenerve era un centro secreto de estudios dedicado a elaborar las bases del racismo místico: apoyados en filosofías y prácticas del Japón y el Tíbet, pretendían asegurar, por ese medio, la vigencia del Tercer Reich. Las visiones de Eckart, Von Sebottendorff y Haushofer, forjaron, en Adolfo Hitler, al líder ejecutor de esa "profecía fabricada".

Con sus prácticas lo convirtieron en el creador de un nuevo orden. Un semidios capaz de cumplir con la

---

[2] Referencia (17).
[3] Idem.
[4] Ibídem.

voluntad de aquellas fuerzas cósmicas que, entre el barón y el general, consolidaron en la vieja sociedad inciática: la *Thule Gessellschaft* [5].

La narración del doctor de Marías adquiría los visos de una fantasía macabra. Carrasco escuchaba pasmado, no aceptaba que hubiera gente capaz de creer en esa suerte delirante de ideas pervertidas.

–¿Qué se sabe de ese instituto esotérico?

–La Ahnenerbe significa herencia de los dioses y se dedicaba al estudio de los fenómenos paranormales y de la raza. En ella se pretendía poner al servicio de Hitler las energías subterráneas en las que creía

–¿Y cuál fue el destino de los estudios que realizaron?

–No se sabe. Quedaron ocultos bajo una cortina silenciosa.

–Espanta pensar que una barbarie de tales dimensiones ocurrió. Sin embargo, a nosotros sólo nos toca resolver el crimen de Leonor Marcos –apuntó el detective.

–Estoy de acuerdo. Como verá a continuación, lo recién expresado se enlaza perfectamente con lo que investigamos.

Carrasco esperó dubitativo.

–El barón Von Sebottendorff, atraído por la historia oculta de México vivió un tiempo en nuestro país; se rodeó de un grupo aficionado a la historia y a las prácticas espiritualistas. Bajo su particular metodología visitó nuestros centros históricos, se contactó con magos y chamanes indígenas. En las zonas arqueológicas efectuó breves sondeos sobre la astrología maya y la simbología olmeca que, como usted sabe, contienen datos astronómicos particularmente exactos.

5 Referencia (16).

En los días que estuvo aquí formó un grupo de
seguidores que, más tarde, funcionó como vínculo con
los nazis. Realizó ciertos negocios que le rindieron
buenos beneficios y, a petición de sus discípulos, dejó
en manos de dos personas un resumen de sus conceptos; uno de ellos fue el autor de este libelo y, el otro, el
editor del mismo.

El doctor de Marías le entregó el libro a Carrasco y
le dijo: –"hágame favor de pasar a las últimas páginas
y lea el nombre de la casa editora".

Carrasco obedeció de inmediato y leyó en voz alta
una pequeña referencia impresa:

Esta obra de 500 ejemplares, se terminó de imprimir y
encuadernar el 30 de agosto de 1938,
en los talleres de la Editorial Zúñiga,
México D.F., Col. Centro.

–¡Los Zúñiga pueden estar implicados en el asesinato! Expresó Juan con coraje.

Qué elocuentes son las omisiones cuando se hacen
notar.

¿Un descuido?, ¿un dar por hecho?, ¿brincar lo obvio?
Un grave error atender el contenido y despreciar la
forma. Concluyó Carrasco, con un gesto mudo que lo
decía todo.

Capítulo quince

No hay cárcel que haga justicia. No hay castigo que repare el daño

Capuano contemplaba con espanto la mirada fija y perdida de Víctor Cáceres, un hombre cuya juventud había sido devorada por su propia tragedia; una vida a la que se le adjudicaron desgracias gratuitas. Según el médico, las condiciones físicas del enfermo evolucionaban con satisfacción; faltaba mejorar su condición general, aumentar su peso y restituirle el vigor.

María Engracia, infalible y servicial, le daba de comer. Su paciencia sin límites hizo que se alimentara con gelatinas, pastas y líquidos. El enfermo, a pesar de los cuidados, hablaba del pasado como si se tratara del presente; sus respuestas carecían de conexión con las preguntas que sus visitantes le hacían.

Pablo, obligado más por la rutina que por el sentido del deber, limpiaba a diario el auto; ese día encontró en la guantera una carta que guardó para entregársela a Carrasco. Por instrucciones del detective los sirvientes negaban la presencia del patrón, estaban prevenidos de cometer errores en ese sentido. Repetían la misma tarabilla distractiva a quienes preguntaban. La experiencia enseña que los errores se encuentran al acecho, ocultos bajo buenas intenciones; por ello, las recomendaciones de Carrasco se convirtieron en ordenes naturales.

A media tarde el teléfono sonó. Llamaban a Víctor Cáceres desde Guadalajara. Ante la urgencia de un telefonema de larga distancia María Engracia pidió a Capuano que contestara. La interrupción de la rutina y la falta de premeditación, hicieron que Manuel diera su nombre a la operadora. De inmediato la conversación se interrumpió y quedó suspendida.

¿Un incidente sin trascendencia? Tal vez. No podía descartarse la posibilidad de una trampa bien urdida.

En cuanto Carrasco se desembarazó de sus obligaciones diarias, se dirigió a una lavandería próxima a la mansión Cáceres donde Pablo debía recogerlo. Los sirvientes habían adquirido la habilidad del disimulo; la costumbre de escabullirse se transformó en un automatismo. A la hora convenida Pablo recogió a Carrasco con la certeza de que nadie lo había seguido; el detective se escondió en el asiento trasero del Oldsmobile y viajaron por un breve lapso.

Una vez en casa, Juan y Manuel comentaron el estado de Cáceres, enseguida, la preocupación invadió al detective al enterarse del suceso telefónico.

—Debemos actuar como si se tratará de un ardid y suponer que lo han descubierto. Conviene actuar en forma más abierta. No tiene sentido ocultarse; esa actitud atraería a nuestros supuestos vigilantes al interior de la casa. Concluyó Carrasco. Manuel esbozó un gesto de culpa.

Se acomodaron en el comedor para trazar un plan capaz de distraer la atención de los posibles espías y alejarlos de la mansión y su propietario.

En los últimos días Klaus no respondía a las llamadas de Heinz; circunstancia inusual que provocó una justificada sensación de amenaza. Por lo pronto, Heinz gozaba su pequeño triunfo, ahora sabía donde localizar a Capuano gracias a su treta telefónica.

Unos días antes había pensado en inspeccionar personalmente la mansión, estaba preparado para entrar y averiguar lo que sucedía en su interior. Ante las urgencias impuestas por la situación, decidió introducirse en cuanto obtuviera más detalles sobre la estancia de Capuano en la casa.

A diferencia de los viejos tiempos, sus nuevos delitos carecían del encanto motivador de antaño. Se sentía derrotado, invadido por una sensación difusa que alguna vez experimentó en la infancia. No alcanzaba a definir su condición actual, respiraba con mayor frecuencia, percibía el vaho caliente alrededor de la boca, demandaba mayor oxígeno del que entraba por su nariz y separaba los labios para compensarlo; los músculos tensos aprisionaban sus viseras y un haz de temblores, apenas perceptibles, recorrían su vientre. No podía estar quieto ni concentrarse, sus funciones intelectuales se habían bloqueado, padecía la nebulosa sensación de muerte inminente.

La implacable palabra morir dejó de ser una referencia a otros, ahora se incluía entre las posibilidades que le reservaba su porvenir. En medio de esa mezcla de malestares descubrió el nombre correcto del síndrome que lo aquejaba: Miedo. Cambiados los papeles, cuando uno se transforma en víctima, el miedo cambia; en vez de excitar e instigar la acción, provoca el desvarío que paraliza, convierte todas las potencialidades en un reducto despreciable de fragilidad. Heinz se sacudió, trató de convencerse de que nada se opondría a su éxito; la razón estaba de su parte. Además, conservaba la entereza y fuerza necesarias para una misión como la que tenía impuesta. ¡No!, –se dijo y movió la cabeza. –¡Todavía hay Heinz para rato!

En su casa empezó a beber ron, al principio con cola y después directo de la botella. Cargado con sentimientos contradictorios, obtuvo de la ebriedad el viaje a la inconsciencia que ansiaba. Durmió varias horas para despertar amodorrado y con un fuerte dolor de cabeza; se lavó la cara con agua helada y salió decidido a penetrar en la mansión Cáceres. Antes de abordar su auto lo interceptó un emisario de Klaus que, después de un cordial saludo, le dijo que "El Rubio" quería verlo.

Viajaron en el mismo auto. Mantuvieron durante el camino una plática insubstancial que sirvió para que Heinz meditara los argumentos que esgrimiría frente a su jefe. En su interior se proponía acabar con Cáceres en cuanto lo tuviera a su alcance, con ello borraría cualquier rastro que pudiera delatar su desprevenida lengua suelta. Se llenaba de ansiedad al pensar en la libreta negra, constancia única de su indolencia. Su seguridad dependía de que Klaus ignorara la existencia de ese cuaderno, de otra manera, jamás sería perdonado.

Asaltado por el deseo fantasioso de que todo hubiera pasado, se dio cuenta que nada ocurre sin que hagamos nuestra parte para que suceda.

Para Carrasco, Heinz era el ejecutor de órdenes implementadas por un complejo bien estructurado. Aunque sus conclusiones no pasaban de simples presunciones, discurría la forma de enfrentarse con el temido grupo.

El descuido que el doctor Carrasco manifestaba a causa de sus prisas molestó a la clientela que, sin cortapisas, le recriminó el cambio en el trato. El médico sentía a la vez culpa y preocupación, además, su doble trabajo resquebrajó una parte de sí mismo. Se dio cuenta que en su interior albergaba a un investigador comprometido en la búsqueda de sus propias verdades. A Carrasco le molestaban las tareas inconclusas, gustaba terminar lo que empezaba. Atendió hasta deshoras a los enfermos y cumplió con cada uno, aún, a expensas de negarse el mínimo descanso que su físico le exigía. La fortaleza de su cuerpo le impidió decaer, se apoyó en breves descansos que compensaron su larga deuda de sueño. Se alimentaba a base de frutas y platillos de maíz y, salvo episodios alternados de dispepsia ácida, no tenía molestias mayores. Le preocupaba que Heinz ya estuviera al tanto de la presencia de Capuano, lo cual conduciría, en breve, a una confrontación.

Se dio un tiempo entre las consultas para confirmar la asistencia del doctor de Marías a la cita de esa noche en los laboratorios HF–Jaber. Después de la llamada continuó con su trabajo.

De acuerdo al plan trazado por el detective, Manuel Capuano salió de la casa con su equipaje y trató de no pasar desapercibido, se hizo notar con movimientos ostentosos frente al zaguán. Tomó un auto de alquiler rumbo a la estación de autobuses, compró un boleto a Guadalajara y esperó hasta la salida.

Esas maniobras carecían de importancia, pues Heinz se hallaba con sus superiores enfrascado en la tarea de analizar sus hallazgos y diseñar estrategias de ataque. En esta ocasión no recibió las feroces acusaciones del "Rubio". En lugar de frases condenatorias, el jefe lo invitó a participar en la junta del consejo programada para esa noche. Mientras tanto, pusieron a su disposición una tanda de cervezas y entremeses en una de las habitaciones separadas de la residencia.

A la hora prevista, Carrasco y el doctor de Marías se dirigían al sur de la ciudad, para asistir a la reunión de médicos patrocinada por los laboratorios HF-Jaber. Juan trataba de ordenar en su interior un sumario de acontecimientos. Los hechos lo conducían a una agrupación encubierta; tramada entre la realidad económica y social de diversos países, que se esforzaba por sobrevivir y recobrar el poder. De sus dirigentes salió la orden de matar a la poetisa y a su servicio pertenecía el asesino. Por otra parte, presentía que en pocos minutos se enfrentaría con una de las caras de esa agrupación. Los dos médicos presentían el peligro, aún así, evitaron hablar de ello.

En la medida en que avanzaban las casas se convertían en vastas zonas amuralladas ornamentadas con plantas. En el lugar de la cita se encontraban unos cuantos autos estacionados al margen de la acera. Se trataba de una villa con jardines extensos y bien cuidados; en el extremo izquierdo se apreciaba una caballeriza cercada por forraje cultivado.

Una mujer de pelo claro y corto los recibió en la puerta, con trato educado y frío los condujo hasta la sala. Se incorporaron a un reducido grupo que se limitó a saludarlos y observarlos con discreta curiosidad. Un mesero uniformado de blanco y negro les ofreció un aperitivo. Los médicos solicitaron una limonada. La reunión adquiría visos de cordialidad; los asistentes charlaban con educación y amabilidad. El doctor de Marías se levantó de su asiento para ver de cerca las obras pictóricas que decoraban las paredes. En el trayecto escuchó las conversaciones de algunos de los asistentes, incluso, tuvo la audacia de iniciar una plática breve que le bastó para darse cuenta que no trataba con médicos. Además, se percató que muchos de ellos pronunciaban el español como un segundo idioma. Carrasco advirtió las maniobras exploratorias del maestro y complementó la pesquisa con observaciones sobre la distribución de las áreas de la casa; se movió alrededor de la amplia estancia en busca de un sanitario y, con la vista, localizó los accesos y salidas.

Al término de su exploración los médicos se comunicaron los hallazgos, coincidieron en que algunos de los presentes sobresalían por su corpulencia y rasgos europeos.

La tertulia se interrumpió en cuanto se presentó un sujeto alto y rubio. Su repentina irrupción provocó el silencio general. El mayordomo cerró la puerta principal, indicando que la actividad estaba a punto de iniciarse.

El recién llegado se dirigió a Carrasco y lo saludó por su nombre, enseguida repitió el procedimiento con el doctor de Marías, daba la impresión de conocerlos a ambos. Esa extraña introducción provocó una respuesta de alerta en los dos.

–Les agradezco que hayan venido –les dijo el hombre rubio. –Estoy al tanto de lo ocupado que está usted

doctor Carrasco, por lo que aprecio que nos honre con
su presencia. Mi nombre es Klaus Jelsen, director
general de la compañía. Los médicos respondieron con una declarada seriedad que el rubio ignoró. Ambos se dejaron guiar por
el anfitrión a la sala de juntas, lugar donde se llevaría
a cabo la sesión convivencia programada para esa
noche. Sólo un pequeño grupo pasó al amplio salón.
Se acomodaron en sillas forradas de piel dispuestas
alrededor de una mesa de caoba perfectamente barni-
zada. El sitio inspiraba formalidad. Decorado con
sobriedad, exhibía un mobiliario de gusto conserva-
dor. Sobre el piso de madera yacía una enorme alfom-
bra persa. En una de las paredes un fresco de los
volcanes de México llamó la atención del doctor
de Marías quien, antes de sentarse, se acercó para
apreciar los detalles del cuadro; en el margen inferior
leyó la firma: "Dr. ATL". En otro muro se apreciaba
una pintura de un edificio de proporciones colosales
que intentaba reproducir la arquitectura romana; la
obra, sin firma, contrastaba por lo tosco y la palidez de
su colorido.

Momentos después, Jelsen tomó la palabra.

–Permítanme presentar a los integrantes de la mesa;
a mi derecha se encuentra el doctor Darío Schoen, sub-
director del Instituto de Investigaciones Técnicas de
nuestra sucursal en Guatemala. A mi izquierda, el
señor Enrique Haeften Sierra, gerente del Servicio de
Impresos y Publicidad. Al fondo, el señor Mauricio
Knorr Estrada, auxiliar del departamento de seguridad. Hemos despedido al resto de los invitados puesto que no requerimos de su presencia para el asunto
que vamos a tratar.

Señores –se dirigió a los dos médicos–, con el propósito de ahorrar tiempo y energía intentaré definir los motivos de esta reunión que, como pueden observar, no pretende abordar tópicos de medicina, a pesar de que se convocó con ese fin.

Hemos invitado al doctor Carrasco y él se acompañó de su distinguido colega el doctor de Marías, para tratar una preocupación que compartimos. Antes de iniciar, quiero darles la seguridad de que pueden abandonar esta sala en cuanto ustedes lo decidan. Dadas las condiciones que impulsan esta particular junta, me expresaré con claridad y sin rodeos.

La franqueza y el poder que exhibía Jelsen hizo que los médicos, al confirmar sus corazonadas, se mantuvieran expectantes, tensos, y con un dominio inobjetable de sus emociones. Guardaron un mutismo absoluto mientras "el Rubio" continuaba sin dar muestras de turbación.

–En primer término, es conveniente que nos conozcamos mejor, herr Knorr nos hará favor de leer un breve resumen de los datos que tenemos sobre ustedes.

Accionado por la orden, Knorr se levantó y, tras de ajustar sus gafas de alambre, se dispuso a leer.

–Carrasco Mantilla Juan, originario de Nochiztlán, Zacatecas, nacido en 1921; tercer hijo del matrimonio formado por Matilde Mantilla y Candelario Carrasco; los dos vivos, con domicilio en su localidad de origen; actualmente dedicados a la fruticultura y crianza de borregos. Sus dos hermanos mayores radican en esta ciudad con domicilio..."

–No tenemos toda la noche Knorr, resuma, resuma. Ordenó Klaus.

–Prestó sus servicios como detective –continuó Knorr– en el departamento de homicidios de la policía capitalina, donde ascendió, por méritos propios, al grado de teniente. Recibió dos condecoraciones. La aprensión del "picahielo" de la colonia Roma le dio celebridad. Estuvo a punto de contraer nupcias con la señorita Inés Chaguya, quien desistió por la oposición de sus padres. Estudió la carrera de médico cirujano y partero en la Universidad Nacional, obteniendo mención honorífica en su tesis profesional.

–Suficiente –ordenó Klaus. –Lea la segunda ficha.

Knorr tomó el segundo sobre y sacó una serie de hojas; antes de leerlas dijo a modo de excusa

–El retraso en la iniciación de esta junta se debió a que no esperábamos al doctor de Marías; tuve que pasar a recoger este expediente –se los mostró– a nuestros archivos.

Después de la aclaración inició su informe.

–Doctor Diego de Marías y Santoscoi. Originario de Hermosillo, Sonora, sexto hijo de una familia acaudalada. Padres y tres de sus hermanos finados. Casado con Alfonsina Escalante, sin hijos. Médico cirujano especialista en Patología. Se ha destacado por sus contribuciones a la Histopatología y a la herbolaria mexicana. Jefe del Departamento de Medicina Forense, in....

–No considero que sea necesario leer lo que a nadie interesa –interrumpió el doctor de Marías. –Está muy claro que saben lo suficiente de nosotros. Así que propongo quitarnos los "guantes de seda" y tratar sus pretensiones. ¿De acuerdo?

El lenguaje directo del médico los desconcertó. Las miradas se concentraron en Klaus.

–El asunto es el asesinato de Leonor Marcos Cáceres. Dijo tajante "El Rubio" después de un silencio.

–Dadas las circunstancias, ustedes tienen la palabra. Repuso de Marías.

–Una última molestia antes de iniciar, les suplico que permitan un breve registro, con el objeto de asegurarnos que nuestras pláticas no serán transmitidas ni grabadas. Los médicos facilitaron la revisión, al término, Klaus retomó la palabra.

–Muy bien, a partir de este momento consideraremos esta mesa como un campo neutral, dispuesto para que cada quien presente sus posiciones. ¿De acuerdo? Asintieron.

–El asesinato de Leonor Marcos –empezó a decir Jelsen–, quedó pendiente de solución por parte de la policía. El archivo respectivo se llena de polvo en algún anaquel de los juzgados. El hijo de la señora Marcos, único interesado en aclarar el suceso, dejó congelada la averiguación hasta que uno de nuestros colaboradores lo indujo a resucitar lo que ya se olvidaba por oficio.

En un principio el señor Cáceres se convirtió en detective amateur. Ante el fracaso de sus gestiones contrató al doctor Juan Carrasco de quien tenía referencias por sus trabajos realizados en este proceso. La indagación iniciada por ustedes puede hacer que algunas figuras de la comunidad alemana se vean afectadas por un escándalo extemporáneo e inútil.

El señor Heinz fue comisionado para distraerlos; aunque debo advertirles que nunca pensamos en usar la fuerza como método disuasivo. Sin embargo, ante el obvio fracaso de nuestro emisario, consideramos conveniente exponer los intereses de ambos para llegar a un acuerdo negociado. Doctor Schoen

–se dirigió a la derecha–, refiera los hechos que produjeron el percance.

El doctor Schoen proyectaba una imagen altiva; lucía una corpulencia desusada para su avanzada edad y su rostro mostraba rigidez. Entrelazó sus manos por encima de la mesa dirigiendo la mirada a Carrasco. Tras carraspear un par de veces inició su participación sin levantarse de su asiento:

–La señora Marcos, judía de origen, participó en reuniones de simpatizantes de la causa alemana en una época en que existía guerra declarada entre México y los países del eje. Acompañada de una amiga, acudió en forma regular a ciertos convivios donde se relacionó íntimamente con Heriberto Inzbruck, mejor conocido como "Heinz".

Los médicos trataron de disimular su sorpresa.

–Fingiendo la señora una postura intelectual, colaboró social y culturalmente en diferentes actividades proalemanas. Heriberto Inzbruck, jefe de seguridad, se sintió atraído por ella y la cortejó con propósitos sentimentales a los que ella correspondió con muestras de simpatía.

La tesonera actitud de Inzbruck originó un lazo íntimo que, al parecer, iba por el camino del amasiato. Sus citas en un cuarto del Hotel Isabella inducen estas conclusiones. Por razones que ignoramos ella decidió terminar con el vínculo. El seducido Inzbruck –hombre tenaz y violento– se dedicó a vigilarla. Entre sus correrías descubrió incongruencias y falsedades que iban, desde su identidad, hasta los sentimientos que por él mostraba. Esto le inyectó suficiente frustración y coraje como para ejecutar, por su cuenta, la acción que culminó con el final de la señora Marcos.

–Podría ser más explícito –solicitó Carrasco.

"El Rubio" inclinó la cabeza y con un gesto le ordenó a Schoen que continuara. Éste, sin cambiar el tono de voz, siguió con su exposición.

—Impulsado por la pasión, Inzbruck Osorner preparó una maniobra para hablar con ella y aclarar sus resentimientos acumulados; quería descubrir el fondo de su rechazo. Sin embargo, nada de lo que planeó le resultó, agotó las formas usuales para ponerse en contacto con ella y, ante el fracaso de llamadas, cartas, y mensajes por terceros, optó por el rapto violento. A decir del propio Heinz, después del secuestro intentó hablar con ella y aclarar su situación. Obtuvo a cambio un agresivo rechazo por parte de la señora Marcos. El repudio del que fue objeto lo indujo a continuar con su tempestuoso operativo. Se trasladaron a un sitio alejado de la carretera y se quedó solo con ella; trató de hacerle ver sus intenciones amorosas a través de largas argumentaciones. La mujer fingió aceptar un trato más íntimo y cuando él se distrajo, le clavó un objeto punzante. Inzbruck reaccionó defensivamente, perdió el control y la estranguló.

Al finalizar, Schoen se quedó callado sin mostrarse alterado.

—¿Cómo podemos saber que dice la verdad? Cuestionó Carrasco.

—Tenemos la confesión de Inzbruck —contestó Knorr.

—Además, la sangre que se descubrió al lado del cuerpo de la víctima coincide con la de Heinz. La referencia se encuentra en los archivos de policía, ¿lo recuerda?

—Tipo "b" positivo. Respondió Carrasco.

—Aquí tiene. Knorr le extendió un certificado que verificaba el grupo sanguíneo de Heriberto.

Carrasco revisó el informe y confirmó el dato. En seguida preguntó: ¿Cómo podemos asegurarnos que la iniciativa partió de Heinz y no de ustedes? –Contesta Haeften, ordenó Jelsen con cordialidad. Enrique Haeften, un hombre joven vestido con traje oscuro y corbata roja, reflejaba seguridad y despotismo en sus movimientos. Miró los ojos desafiantes de Carrasco y contestó sin desviar la vista.

–Es cierto que Heinz es un subordinado obligado a obedecer órdenes. Pero deben tomar en cuenta que nuestro grupo no tenía nada que ganar con ese asesinato; la guerra finalizaba y nuestra posición de enemigos terminaría en un breve lapso. A todas luces convenía esperar.

–¿Cuándo se enteraron de la identidad judía de Leonor? Volvió a preguntar Juan.

–Nos lo dijo Heinz después de cometer el crimen –retomó la palabra Haeften. –El hecho de ser alemán no implica que uno sea nazi o que tenga que matar a cuanto judío anda por las calles. Ese torpe homicidio sólo obedeció a los impulsos descontrolados de un hombre despechado.

–Además –intervino Knorr–, para un grupo nazi con sede en México, esa fechoría le traería inconvenientes mayores; lo prudente hubiera sido no tocarla, a pesar de que pudiera tratarse de una espía. Recuerden que en aquella época la derrota de Alemania se avizoraba; la supervivencia exigía integrarse a la reconstrucción y a la productividad. Dejar las culpas en el pasado. Olvidar.

–No me explico, entonces, ¿por qué lo ocultaron? Si conocían la culpabilidad de Heriberto. ¿Por qué no lo delataron? Intervino el doctor de Marías.

–Observación inteligente doctor de Marías –replicó "El Rubio". –Heinz se conectó con personas relevantes, sus servicios sirvieron no sólo a las representaciones alemanas, sino a grupos políticos e intelectuales activos. El hecho de ponerlo a disposición de las autoridades constituía una amenaza para el prestigio de mucha gente.

–¿Adónde pretenden llegar con esta reunión? Intervino el detective.

–Primero –empezó a decir Jelsen–, queremos dejar asentado que ni nuestras instituciones, ni grupos políticos alemanes perpetraron el ilícito. Se trató de un crimen pasional que en ningún caso nos benefició.

–Pero qué ocultaron. Añadió de Marías

–Sí –aceptó "El Rubio" y agregó. –Lo encubrimos. En ese momento cualquier cosa que nos ligara con la muerte de judíos levantaría una acción perjudicial para los alemanes mexicanos. Además de los problemas que provocaría a nuestras compañías, que nada tenían que ver con la guerra, excepto su origen.

–Si ustedes no están implicados, ¿por qué mantuvieron a Heinz a su servicio? Intervino Carrasco.

–Una forma de control. Dijo Haeften.

–Mache dein angebot. Intervino Schoen impaciente.

–Sprich Spanisch. Ordenó Klaus.

–Haz la propuesta. Repitió Schoen.

–Señores –empezó a decir Klaus–, estamos convencidos de que la acción de Heinz debe castigarse. Queremos pedirles que nos acepten como sus colaboradores.

Dadas las condiciones, ni Carrasco ni el doctor de Marías supieron qué hacer ante la inverosímil oferta; por el contrario, se mostraron cautelosos y dejaron que "El Rubio" siguiera.

–Hoy se hacen esfuerzos descomunales por olvidar la guerra, Europa renace, el Medio y el Lejano Oriente toman la estafeta del belicismo; desde hace dos años los judíos tienen un país independiente, Alemania está dividida y controlada, los americanos manejan una parte del mundo y los rusos hacen otro tanto. Nosotros no somos ni alemanes, ni comunistas, ni americanos: somos prominentes empresarios en este hermoso país. No nos interesa revivir un pasado que nadie quiere rescatar. Presentar a Heinz a la luz pública y hacer un recuento de aquellos fatídicos acontecimientos, representa un pretexto para que se nos ataque de nuevo. En resumen, deseamos, tanto como ustedes, que el asesino sea castigado.

Klaus bebió el contenido de su copa y secó con sus dedos el exceso de sus labios; enseguida concluyó.

–Lo que vamos a proponerles es un punto medio entre la justicia y la conveniencia, una justicia sin alborotos. Por la tarde encomendamos al señor Knorr que se entrevistara con Inzbruck y lo trajera aquí. En este instante se encuentra en una construcción aledaña a la casa.

–Por otra parte –Knorr interrumpió–, se nos ha informado que el señor Capuano se hospeda en el domicilio de Cáceres. En los últimos días vigilamos a Heinz mientras espiaba los movimientos de la mansión. Nunca se registró la entrada de Capuano, de manera que podemos afirmar que se introdujo subrepticiamente. Situación que nos induce a pensar que otros permanecen ocultos en el interior de la residencia.

La intuición de Juan le hizo captar el ardid psicológico de Knorr; persistió callado con la mirada atenta en su interlocutor.

–Si añadimos que el señor Cáceres no ha sido localizado –continuó Knorr–; existe la posibilidad de que viva oculto en su propia casa. Ante estas circunstancias, hemos ordenado una inspección domiciliaria.

–Si señores –intervino Schoen–, mientras nosotros estamos aquí reunidos, uno de los nuestros penetró en esa casa.

Juan brincó de su asiento y mostró la primer cara de su debilidad.

–Cálmese, somos gente civilizada. Le dijo Haeften.

–Nadie sufrirá daño alguno, se lo aseguramos. Agregó Schoen triunfante.

Knorr sonrió y calló.

El doctor de Marías jaló del saco a Carrasco y con señas le indicó que se calmara. Mientras tanto, Knorr le hizo llegar un teléfono a Carrasco.

–Le suplico que llamé a su amigo. Sugirió Jelsen con amabilidad.

Carrasco marcó el teléfono. Pablo le contestó y le informó que no había razón para preocuparse. Después Manuel le confirmó que Víctor estaba bien.

En el instante de colgar, Carrasco miró a Klaus, en su cara podía leerse un esbozo de burla.

–Un ardid. Nadie entró, ni va a entrar en esa casa. Dijo Jelsen sarcástico.

–Ahora saben con certeza la ubicación de Víctor Cáceres. Agregó de Marías, señalando el grave error de Carrasco.

–¡Por favor! No somos unos bárbaros –exclamó Jelsen. –Luchamos por la paz, la fraternidad, el crecimiento de los pueblos; somos socios en la ciencia y la tecnología, amamos la democracia. Créanme, les ofrecemos una colaboración responsable y cabal. Excúsenme por esta maniobra pueril; espero que entiendan lo que nos impulsó a efectuarla.

Entendieron y callaron.

Klaus se levantó de su asiento y se paró detrás del respaldo de Schoen, justo enfrente de Carrasco y dijo:
–Doctor Carrasco, creemos que Heinz debe pagar con su vida su tremendo error; estamos dispuestos a ejecutarlo en este instante a cambio de que den por terminada la investigación.

En los segundos desesperados que siguieron, Carrasco perdió el control. Enfadado lanzó una pregunta casi estúpida: ¿Y si no aceptamos?

No hubo respuesta.

El doctor de Marías reaccionó con rapidez y objetividad. De inmediato planteó una posición: –"Antes de aceptar, quisiéramos hablar con Heinz".

La atención se concentró en Klaus, que, a pesar de su habilidad para disimular las emociones, proyectó, antes de responder, una penetrante mirada de enojo.

–Señor Knorr, conduzca a los señores con Inzbruck.

–Háganme favor de seguirme. Dijo Knorr con voz afectada.

Los tres hombres salieron de la casa rumbo a una construcción situada a unos cincuenta metros. Durante el camino no conversaron, registraron con la vista el terreno y sus accidentes; transitaron por esa geografía del peligro sin más arma que su osadía.

Un hombre tosco y mal vestido vigilaba la casucha a la que se dirigían. A una orden de Knorr abrió el candado y detuvo la puerta abierta. En el interior observaron a Heinz recostado, aparentemente inconsciente y sin daño físico perceptible.

–¿Podemos hablar a solas con él? Preguntó el detective con firmeza.

Knorr salió sin responder.

Heinz dormitaba bajo los efectos sedantes de una dosis de morfina, sus pupilas estaban dilatadas, la respiración y el pulso eran lentos, escuchaba y respondía con cierta euforia.

El doctor de Marías se aproximó a él y lo llamó por su nombre, después de comentarios superficiales le interrogó sobre Leonor Marcos. El hombre drogado contestó que estaba muerta, luego sonrió.

–¿De qué se ríe?, preguntó Carrasco.

–Ahora sé por qué teníamos que acabar con ellos.

–¿De quiénes habla?

–De los judíos. Todos los que traté me provocaron problemas.

–A quienes se refiere.

–Al barboncito –empezó a reír. –A la Marcos, ¡hija de puta! –se carcajeó. –Pero pagó la maldita, me bebí su sangre.

–¿Quién ordenó que la matara? Cuestionó de Marías.

–Era mi deber, me espiaba. Me sacó la papa y la escribió.

–¿Cómo lo sabe? Instigó de Marías.

–"El Culto" vio la libreta.

A pesar de su estado limítrofe de conciencia, Heinz conservaba cierta coherencia y pidió agua. Carrasco le acercó un vaso y le ayudo a beber su contenido.

–¿Dónde esta "El Culto"? Insistió Carrasco.

–En su imprenta. ¿Quiénes son ustedes?, ¿por qué preguntan tanto?

–Somos sus amigos.

–Yo no tengo amigos. ¡Lárguense!

Los médicos, al saberse vigilados, cuidaron sus palabras. A pesar de que estaban convencidos de la culpabilidad de ese hombre, se sintieron cómplices de una venganza. Se trataba de un criminal, pero ellos no eran ni jueces ni verdugos, por ahora, la prudencia exigía expiar las culpas y salvar la vida.

Se dirigieron a la puerta para pedir al guardia que los dejara salir; Knorr apareció en el acto y les solicitó que lo esperaran afuera. Entró a la habitación y, como el ejecutor de una sentencia, extrajo una jeringa de su bolsillo, se colocó al lado de su compañero y le dijo: "te voy a inyectar un poco de medicina". Las venas saltonas facilitaron la tarea. La morfina fluyó a través de la aguja hipodérmica. Cuando la dosis produjo un estado de inconsciencia total, Knorr aprovechó para introducir grandes cantidades de aire al través de la jeringa. Con este procedimiento aseguraba la muerte de su amigo.

Heinz se convulsionó. Después de una inspiración profunda abrió los ojos y la boca, se quedó inmóvil, su corazón fibrilaba; a los pocos minutos el cerebro había muerto; su alma, si acaso existía, podía desprenderse, desencarnarse, viajar al mundo de sus comunicaciones anticipadas.

Traspasado el tiempo del hielo, Knorr hizo pasar a los médicos y les pidió que examinaran a Heinz. Carrasco preguntó lo obvio.

–¿Qué sucedió?

–Sobran las preguntas, contestó el doctor de Marías conmovido.

–Se ha hecho justicia, sentenció Knorr irónico.

Caminaron con lentitud en un regreso de culpa y connivencia; cuidaron sus pasos inseguros sobre el empedrado. Tenían ganas de pedir perdón. Ahora se sabían incapaces de arrojar la primera piedra.

En la intimidad de la casa los esperaba el grupo charlando con desenfado. Tratados con cortesía, los médicos se acomodaron; rechazaron las bebidas que les ofrecieron y después de unos segundos tomó la palabra "El Rubio".

–¡Misión cumplida! Sólo resta que nuestro pacto de caballeros se cumpla.

–Puntualice. Diga lo que espera de nosotros. Exigió de Marías.

–Un mar de silencio doctor, un olvido obligado para ambas partes. Respondió Klaus.

–¿Silencio a cambio de qué? Demandó Carrasco con indignación.

–De seguridad para todos.

–Ese silencio nos hace sus colaboradores, contestó Carrasco.

–Me alegra que lo entienda así. Respondió Jelsen

–Nos han convertido en sus cómplices.

–En socios, doctor Carrasco. Olvide las etiquetas, no califique, aténgase al pragmatismo de la realidad. También las víctimas son cómplices o socios de sus verdugos, piense que la señora Marcos no era totalmente inocente, ella condujo a Heinz a esta situación. De cualquier forma: no hay cárcel que haga justicia, no hay castigo que repare el daño. Hoy los judíos quieren juzgar a sus criminales. ¿Y saben qué?

Movieron la cabeza negativamente.

–Nada reparará los daños. La justicia no puede hacerse, es una utopía, un engaño, porque dentro de poco tiempo todo será olvidado, todos seremos olvidados.

Al termino de la frase Klaus mostró su dureza a través de la sonrisa, en ese estado continuó.

–Véanlo, hace apenas cinco años terminó la mayor guerra de la historia y ya nadie quiere recordarla. Sólo el cine inspira el regreso y lo explota. La gente de la calle olvida, porque las dos partes más débiles del ser humano son la gratitud y la memoria. Hoy pocos recuerdan a millones de muertos. ¿Cantidades?, ¿esta-

dísticas?, ¿números?; díganme: ¿a quién le interesan?
Son tantos dígitos, tantos ceros, que ya no dicen nada.
¿Espantoso? No señores: simplemente real.
Dentro de un par de generaciones pocos creerán
que sucedió. Les aseguro que será mas fácil olvidar el
asesinato de millones de seres que a su gran verdugo,
el hombre que conquistó un sitio privilegiado en la
memoria del mundo: el Führer. Sin embargo, esta
noche, en honor a la justicia, Heinz fue ejecutado.

–Quisiéramos retirarnos, dijo el doctor de Marías
con un gesto que no disimuló su repugnancia.

–¿Entiendo que han aceptado su parte del trato?
preguntó Jelsen imperativo.

–Hemos aceptado. Dijo el doctor de Marías con parquedad.

–No necesito recordarle que en cualquier secreto
compartido hay una sociedad peligrosa. Dijo Carrasco
antes de salir.

Klaus sonrió.

En la despedida no hubo manos que estrechar, las
negociaciones dejaron claro que la vida es un camino
irreversible hacia adelante. Cualquier regreso es una
ficción.

El recorrido que emprendieron los médicos rumbo a
la casa del doctor de Marías les mostró el lado más
oscuro de la noche. Habían presenciado un desenlace
lógico y metódico y, aunque la víctima era un brutal
asesino, algo en el interior de los dos hombres no
reposaba. Tal vez, la compasión.

–Pasan de las tres de la madrugada –dijo el doctor
de Marías– le ofrezco compartir una botella de cognac.
Estoy seguro de que hoy no podré dormir.

Carrasco se bajó del auto; entró hasta la biblioteca de la casa guiado por el maestro. El tiempo era el justo, el lugar el preciso, la atmósfera estaba lista para convertirse en patíbulo de sus conciencias.

Tomaron las primeras dos copas como quien apura el antídoto de un veneno, sin disfrute ni tranquilidad. Algo tenían que decirse, debían efectuar una catarsis de impugnaciones procedente de su alma vulnerada. Se pusieron cómodos y desabrocharon los cuellos almidonados, el desvelo pausaba sus reacciones y la madrugada próxima no alimentaba esperanza.

—Esta noche presencié el espectáculo más cruel que recuerdo haber vivido. Dijo el doctor de Marías.

—¿La sentencia de un asesino?

—No. Esos ojos gélidos, esa mirada de quien mata sin remordimientos, sin asomo de piedad, de humanidad. Y no me refiero a Heinz. Esta noche —atrás de aquellas caras de desprecio— vi pasar a millones de muertos transformados en simples números. Leí en libros del *debe y del haber*, la contabilidad de un grupo que se confirió el derecho de administrar la muerte.

El doctor de Marías llenó su copa y la tomó de golpe; su tradicional elegancia quedó reducida en poco tiempo a las maneras de un borracho indignado. Limpió con su brazo el excedente de alcohol que deslizaba por su barbilla y se replegó en el asiento.

Lo sucedido trascendía la concepción abstracta del mal, por ahora, los títulos de crueldad y villanía resultaban vacíos, no existía en su vocabulario una palabra adecuada para describir lo vivido.

—No doy con ella... balbuceó el doctor de Marías.

—¿No da con qué?

—La palabra, la frase, el concepto capaz de definir la ausencia de culpa, de dudas, de sentimientos. La exclusión total de las características humanas que por milenios hemos supuesto nos pertenecen. Casi toda mi vida traté con criminales, con sociópatas, esquizofrénicos y paranoides, pero jamás vi la intelectualización más atroz y espantosa del mal como la que hoy atestiguamos. ¿Y sabe qué es lo peor?

—No maestro.

—Algunas de las monstruosidades que dijo ese Klaus, no sólo son convincentes, sino ciertas, podría decir que casi verdades.

El intento de Carrasco por anestesiarse con el alcohol surtía un mediano efecto, escuchaba la mitad de lo que el maestro decía y entendía la cuarta parte; sin embargo, no pudo menos que tratar de recobrar su estado de alerta al oír la importancia que el maestro le concedía a esos conceptos.

—No se contenga, diga a que verdades se refiere.

Llenaron sus copas de nuevo y después de un trago, el maestro empezó a hablar emocionado.

—Tantos años de estudiar delincuentes no me sirvieron para entender lo que ese desalmado de Jelsen dijo: *"no hay cárcel que haga justicia, no hay castigo que repare el daño"*. Es cierto, endemoniadamente cierto. ¿Quién regresa a la vida al asesinado?, ¿qué indemnización repone lo perdido?, ¿qué ganó la humanidad al ejecutar a los mayores asesinos del mundo? No. No está en manos del hombre administrar justicia.

—Está usted muy pesimista.

—Y usted muy borracho. Estoy seguro que ha entendido muy poco.

—No lo niego.

Carrasco llenó las copas y brindó: "salud".

—"Por la amistad". Agregó el doctor de Marías.

Bebieron. Un solo trago bastó para dejar vacías las copas. En seguida empezaron a quedarse callados y a dormitar, cerraron los ojos hasta que la luz del día hizo que las sombras se esfumaran y las cosas lucieran como si nada hubiera ocurrido. Juan entreabrió sus ojos y miró al doctor de Marías frente a él, vio con extrañeza que en el rostro del viejo se deslizaban lágrimas, algo dio un giro en su pecho y preguntó.

–¿Por qué llora maestro?

–No estoy llorando. Dijo llorando.

–Entonces, ¿qué le sucede?

–Creo que tengo una larga deuda de tristeza. Estoy de luto por millones de seres anónimos.

El doctor Diego de Marías se desbordó en un llanto irrefrenable; Carrasco se acomodó al lado del viejo, lo envolvió con sus brazos, miró las arrugas de su rostro deformado y lo besó.

Capítulo dieciseis

El hombre ha creado la fórmula del infierno

La llegada del día dotó a los médicos con ganas de empezarlo todo. Expulsados del paraíso, aún no asimilaban su reciente visita al infierno. Paraíso e infierno, dos parajes paralelos de la vida. En honor a la rutina se preguntaron el ¿Cómo está? y ¿Qué tal descansó? Ninguno reposó y ambos contestaron "bien". Encadenado a la reciente experiencia el doctor de Marías amagó con regresar a la reflexión penetrante.

—Me gustaría preguntarle al hacedor del mundo: ¿Si volviera a crear este mundo, dejaría que la historia sucediera de la misma forma?

—Necesita lavarse la cara para que se le quite ese malestar, replicó Carrasco.

La peligrosa cursilería filosófica del doctor de Marías, terminó en cuanto el agua fría tocó su piel.

–No sé como decírselo a Víctor –retomó Juan la palabra– me preocupa que se oponga a la determinación que tomamos ayer, ignoro que secretos trajo de su viaje; parece como si una parte de él se hubiera extraviado. Su estado físico es casi normal y, a pesar de ello, sigue desconectado de la realidad. Voy a intentar hacerlo reaccionar por mis medios.

–Siga lo que su criterio médico le indique. Supongo que piensa dar por concluída la investigación.

–Aunque las dudas me invaden no quiero perjudicar a nadie. Sin embargo, me inquieta la declaración de Heinz sobre de ese sujeto llamado "El Culto", él fue quien le informó acerca la existencia de una libreta donde Leonor anotó todas las confesiones . La referencia a la imprenta me hace sospechar que se trata de uno de los Zuñiga, tan solo nos resta entrevistarlos para cerrar el círculo.

–Al parecer la organización ignora la existencia de esa libreta, si se llegan a enterar, nuestras vidas penderán del hilo de la suerte. En caso de que nos vigilen sabrán que no estamos cumpliendo con la palabra empeñada ayer.

–Tenemos que tomar ese riesgo si pretendemos llegar hasta el fondo del caso, esa libreta puede contener referencias de importancia.

–Estoy de acuerdo, podemos intentar verlos esta misma mañana.

La aceptación tácita los indujo a la acción inmediata. Se dirigieron hacia al centro de la ciudad y estacionaron el auto en las inmediaciones de la casa editora. Avanzaron por el interior de la imprenta entre pilas impresas de carteles de propaganda de los laboratorios HF-Jaber. Armando Zúñiga los abordó para ofrecer los servicios del negocio, enseguida los médicos se identificaron.

–Nos ha enviado el señor Víctor Cáceres, dijo Carrasco, para tratar con usted un asunto que, por su naturaleza, demanda discreción y seguridad.

Aunque la solicitud alertó a Zúñiga, éste los invitó a pasar hasta su oficina. Una vez acomodados, Carrasco le dirigió una pregunta.

–¿Es usted Armando Zúñiga, alias "El Culto"?

–No. Ese sobrenombre se le daba a mi padre, su confusión deriva de que yo me llamo Armando Augusto Zúñiga.

La respuesta franca del entrevistado ante el ardid bien manejado por el detective, abrió la posibilidad de seguir con el cuestionario.

–¿Qué relación tiene usted con las laboratorios HF-Jaber?

–Estrictamente comercial.

–Señor Zúñiga, la noche de ayer nos citamos con el señor Klaus Jelsen, en ese encuentro se definieron los motivos y el responsable de la muerte de Leonor Marcos.

El comentario de Carrasco inquietó a Armando quien reaccionó con angustia, exigiéndoles aclarar el motivo de su presencia. La tensa respuesta mostraba –en el interlocutor– la sensación de peligro y su temor a continuar. Carrasco le refirió fragmentos seleccionados de la reunión con la gente de la organización hasta concluir con la muerte de Heinz. La noticia, en lugar de acendrar el miedo de Zúñiga, le produjo cierta calma y abrió la confianza entre ellos.

–Nadie de mi familia participó en ese nefasto crimen, de hecho, sospechamos que nuestro padre falleció como consecuencia de uno de los ataques de Heinz.

–Podría ser más explícito.

–Sirva como antecedente lo que a continuación voy a decirles. Hace un buen tiempo la señora Marcos se presentó en la imprenta con dos cuadernos que, supuestamente, contenían los originales de uno de sus libros; en un principio conversamos sobre temas de interés común y a los pocos minutos se excusó para ir al tocador. Al quedarme solo, impulsado por el automatismo de la espera, empecé a leer una de las libretas; observe, con asombro, que contenía una serie de datos sobre la organización de Jelsen y sus actividades en México, revisé algunas hojas con rapidez y regresé el escrito a su sitio. Supongo que ella no se dio cuenta. Cuando me quedé solo, fui a donde se hallaba mi padre para ponerlo al tanto del descubrimiento, después de intercambiar ideas, acordamos guardar el secreto.

–¿Recuerda el color de la pasta? Cuestionó Carrasco.

–Negra.

–Tenía algún nombre en el exterior.

–No me di cuenta.

–Meses después de ese incidente, la señora Marcos dejó de frecuentarnos sin motivo aparente. Heinz se presentó en el negocio para preguntar por ella. Mi padre le dijo que no la había visto a pesar de que le tenía un cheque reservado. Heinz repitió sus interrogatorios en dos ocasiones posteriores, en la tercera visita se violento y acusó a mi padre de ocultarle información, su actitud rebasó las palabras y le propinó una cachetada. La situación me indujo a defenderlo, cuando ese desquiciado estaba a punto de romperme la cabeza, mi padre, en actitud suplicante, le ofreció una revelación a cambio de mi liberación. El agresor se contuvo para escuchar, mientras mi padre, temeroso y confuso, le dio a conocer la existencia de una libreta negra donde Leonor tenía anotados los datos de los miembros de la organización. Heinz se mostró turbado y con amenazas de muerte nos exigió silencio. Suponemos que el accidente automovilístico que más tarde causó la muerte de nuestro padre fue ejecutado por Heinz. Carrasco y el doctor de Marías se mantuvieron absortos, guiados por el hilo de la narración .

–El asesinato de Leonor –siguió Zúñiga– nos anticipó un futuro ominoso por el hecho de que mi padre y yo conocíamos los motivos del crimen y al culpable. Por fortuna, la misma organización se ocupó de mantener a Heinz alejado por un buen tiempo.

Cuando me comentaron, hace meses, sobre la solicitud de Víctor Cáceres, di instrucciones de que se le entregara el material que pedía y se le apoyara. Supongo que la desaparición de ese asesino tiene que ver con las actividades que siguieron a esa visita.

–¿Conoce el paradero de la libreta?

–La única vez que la vi trastornó nuestros días y acabó con la vida de la señora Marcos y con la de mi padre. No quiero que me digan algo más, no me interesa saber. Aunque les confieso que no derramaré una sola lágrima por Heinz. Creo que con esta confesión cumplí con mi parte.

–En efecto.

–Entonces, ¡hasta nunca señores!

Dentro de un silencio mutuo los médicos pactaron un espacio sin arrebatos; se suscribieron a la resignación obligada por lo inconcluso; aceptaron su parte en una historia que nunca acaba. Porque el final no existe, es tan sólo un paréntesis de duración variable.

Una semana después Víctor respondía en forma adecuada y manifestaba deseos de incorporarse a la vida normal. Juan Carrasco consideró que había llegado el momento de ponerlo al tanto del caso y cerrar el operativo. Manuel Capuano también ignoraba lo ocurrido, su buen tino le hizo doblegar su curiosidad y esperar la ocasión apropiada. Acordaron reunirse esa misma noche.

El doctor no tenía ganas de trabajar, pero tampoco podía descansar, había contraído las suficientes obligaciones como para encadenarse al servicio del prójimo y, el prójimo –lógicamente– demandaba sus servicios. Sentado tras su escritorio el médico se preguntó sobre el origen de sus cadenas; compromisos que por gusto había adquirido. La presencia del primer paciente sacudió de la mente los devaneos indisciplinados de sus introspecciones.

Aunque en realidad no se sacudió nada, alargó las pausas entre los enfermos para evocar la ranchería donde creció y, por instantes, pasaron frente a sus ojos las dos vacas que ordeñaba y las extrañó, las echó de menos como nunca –rió–. Miró una fotografía de sus padres, recordó sus primeros amores y a sus amigos, se internó en la melancolía de su niñez, hasta que la prisa, inflexible aliada de la realidad, le obligó a abandonar la seducción de su pasado.

Por la noche, en la mansión Cáceres, la cena se cocinaba a fuego lento. María Engracia, acostumbrada a los horarios y gustos del médico, preparó los platillos de su preferencia.

Capuano permanecía en su habitación expectante, deseaba regresar con los suyos; tras esa reclusión voluntaria aceptó que recorría los últimos capítulos de su historia y que la vejez tocaba su puerta, anticipó la posibilidad de transformarse en una colección de memorias para unos cuantos.

El jardín iluminado enmarcó la entrada de Carrasco, pasaban de las diez de la noche, temprano para el médico y tarde para una ciudad que pierde su ritmo con la oscuridad. La cena se condimentó con historias de vendedor, reminiscencias de una vida singular, que, almacenada en la cabeza encanecida de Capuano, deleitaba a los escuchas.

Cuando terminaron, Cáceres propuso que pasaran a la sala. Aposentados en los sillones, Carrasco tomó la palabra:

–Queridos amigos, ahora que Víctor se encuentra recuperado, podemos abordar los resultados finales de la investigación.

Juan detalló lo sucedido con fluidez y precisión, esbozó una cronología fiel de los eventos. Puntualizó las circunstancias, explicó las causas y expuso la reunión con Jelsen. Su participación remató con el relato de la ejecución de Heinz. Los hombres le escucharon absortos, envueltos en una estela de indignación.

–No me alegra este final, comentó Manuel.

–Creo que hemos llegado hasta el límite de nuestras capacidades, afirmó Víctor, por mi parte apruebo el compromiso de callar, aunque no sé por cuanto tiemppo. Díganos Carrasco: ¿Qué debemos hacer?

–No está en mis manos tomar esa decisión.

Cáceres sirvió tres copas de vino blanco. Cuando las repartía el médico le sentenció: "usted no debe tomar ni una gota de alcohol".

El paciente le dio las gracias, apuró su copa hasta el fondo y se dispuso a hablar.

–Ustedes se preguntarán qué es lo que me sucedió, pues bien, he aquí la historia. Salí desesperado en busca de Alejandra, hallarla se transformó en una compulsión. No me interesaba la investigación policíaca sino ella. Se trataba de algo superior, ajeno a mis facultades, lejos, muy lejos de mi cabeza.

Seguí corazonadas, me embriagué de ilusiones sin historia, me excluí de los cartabones que exigía mi biografía y la perseguí hasta las montañas; punto de la geografía donde sólo se llega a bordo de una férrea voluntad. Inmerso en un paisaje escarpado, me bañé con la más perseverante de las lluvias, caminé a través de plantaciones de café y maíz que parecían no tener fin. Ubicado en un mundo nebuloso encontré la casa donde habitaban mis presentimientos y Alejandra.

A partir de ese instante mi vida perdió significado, me alejé de lo trascendente, de todo lo que había sido importante; quedé convertido en un ser primitivo, en un hombre silvestre que formaba parte de la naturaleza. Me sentí más ligero y, en ese acto inédito, deseché una parte del lastre de prejuicios que arrastraba.

Cuando la encontré la palabra no nos comunicó y lo que la lengua calló, lo extrajeron nuestros cuerpos carentes de fichas de identidad.

Cuando no pudimos evitar las explicaciones y el desencanto de los días precedentes regresó, me enteré que, por una estúpida omisión, dañé lo que más amaba. Descubrí años perdidos en que mi hija vivió sin padre.

—¿Qué dice usted?, interrumpió Capuano con asombro.

—Sí, Elsa es hija mía. Concebida en una borrachera semanas antes de casarnos. Mi complicada memoria desfiguró el hecho. Alejandra nunca fue violada, guardó el secreto al ver que no asumí el compromiso de mi paternidad.

–¿Puede explicarse? Interrogó Carrasco.
–No quisiera entrar en detalles; les diré que por algún mecanismo interno ¿Por el alcohol tal vez?–, reprimí aquella experiencia.
–Los desvaríos causados por el licor son impredescibles. Comentó Carrasco al percatarse de lo inútil de cualquier alegato a esas alturas.
–Mencionó al "Oso" como autor de aquella atrocidad. Después de su relato me sentí culpable; le pedí perdón, ofrecí reparar el daño y le declaré mi amor. Ella asumió una actitud impasible que interpreté –erróneamente– como una aceptación; pensé que mi vida cambiaba de rumbo.
Alejandra salió a dar un paseo a caballo; creí que necesitaba estar sola. Pasaron las horas, oscureció; al ver que no regresaba salí a buscarla con la ayuda de un lugareño.
Cáceres perdió la mirada, olvidó las palabras de su vocabulario y no pudo seguir; en cambio, proyectó en su cara la aflicción de lo vivido y el desaliento de sus días por venir. Después de unos segundos Víctor regresó de su breve tortura y continuó.
–Avanzada la noche la encontré caminando descalza, el caballo la seguía. Le hablé mas no respondió a mis palabras. Al otro día me dijo que no quería volver a verme, me pidió que me fuera y que no regresara jamás. Me dio una carta cuyo contenido me desquició.
Antes de que me viera destrozado me retiré. No le pedí explicaciones, acepté la sentencia. Me alejé sin rumbo durante días, no se cuantos, viajando de pueblo en pueblo acompañado de visiones, convirtiéndome en un enajenado que poco a poco enfermaba. Las fiebres me hicieron desvariar y me paralizaron, con mis últimas fuerzas apenas y pude regresar. Lo que

sigue ya ustedes lo saben. Víctor calló, agachó la cabeza y no dejó que sus amigos vieran su rostro.

Enlazados por la desgracia, los tres se contuvieron, no quisieron preguntar, sus ojos borraron el exterior para internarse en el punto extremo de sus incógnitas. No se atrevieron a cruzar sus miradas, un lapso compartido de silencio convocó su propio misterio y los colocó en el interior absoluto: la verdadera cárcel. Recibieron desde sus escondrijos un discurso sobre sí mismos.

–¿Está seguro de que el rechazo fue absoluto? Carrasco quiso dudar.

–Sí.

–¿Por qué no insistió?, reprochó Capuano.

–No lo sé.

–Hace unos días Pablo me dio esta carta que encontró en su automóvil. Aquí la tiene. Juan le extendió el sobre.

–Léala en voz alta por favor. Deseo compartirla con ustedes.

Carrasco sacó una hoja de la envoltura y empezó su lectura:

Víctor:

Nuestro extraño cariño no siguió principios ni reglas, nació irreverente al tiempo, al espacio y, aún, a nosotros. Se recreó en las entrañas de mi vida en forma de hija. Nuestra y de nadie.

No necesitas pruebas de mi amor, porque todas las pruebas se convierten en trampas.

No te las pedí, no las exigiste. Gracias.

Mi vida se harta de incógnitas. He perdido la fe. Me consume la duda y la respuesta no me tranquiliza.

*Carezco de una sola norma de vida, soy despótica con
las verdades eternas y las promesas imperecederas.
Prefiero sentir, encenderme hasta agotarme, llenarme
de contradicciones. Vivo con la grave ausencia de aye-
res y con la desesperanza en los mañanas.
Una vez me tragué un fantasma, un espectro de mí
misma. Me lo comí para tener con quien luchar sin
salir de Alejandra. Soy la Alejandra fantasma, una
mujer poseída por sí misma.
Soy una fábrica de locuras.
Una noche soñé lo que hice y lo que dejé de hacer, recordé lo que viví y lo que no viví.
¿Dónde está la fuente inagotable de mis sueños?
Seguro que en el tiempo y el espacio equivocados. Sentí
que el fantasma de Alejandra se había escapado. Tengo
que ir tras él, atraparlo. No quiero vivir sin fantasmas.
En mí, todo regresa a la primera vez, mi extraña nume-
ración termina en el número uno, vivo en la matemá-
tica de lo único, de lo que sucede una vez. Solamente,
una vez.*

Alejandra.

Carrasco repitió con voz entrecortada: solamente
una vez. Tenía ganas de arrebatar a las letras el fantasma que se había escapado, deseaba entrar en la
fábrica de locuras y regresar a esa mujer a un mundo
al que, tal vez, nunca perteneció.

Víctor, con sus sentidos despiertos, ignoraba que él
también se había tragado un fantasma. Su mente estaba llena de trampas, contenía una mezcla de tristeza y
esceptisismo; su única esperanza era que las otras
fuerzas lo condujeran al encuentro con la luz.
Pretendía, sin saberlo, confundir las realidades de dos
mundos de naturaleza opuesta.

–Amigos –empezó a decir Víctor– nos hemos enfrentado con poderes extraños e irracionales, propongo concluir este capítulo de nuestras vidas convocando a las fuerzas del espíritu. Estoy dispuesto a invitar a Luis Martínez para que efectuemos una última sesión espiritista, aquí, dentro de ocho días. ¿Están de acuerdo?

La vehemencia venció cualquier resistencia y acordaron el encuentro. Enseguida, acompañaron a Carrasco para despedirlo con un cálido adiós, que, sin saberlo, extendería la soledad de su retorno, hasta una morada donde nadie lo esperaba.

Capítulo diecisiete

La locura justifica al mal, mientras que el perdón lo absuelve

Mientras Víctor Cáceres preparaba su incorporación a la vida cotidiana, una llamada telefónica lo interrumpió. Escuchó la voz de una mujer y después colgaron. Creyó reconocer la voz; no estaba seguro y no podía comprobar su sospecha.

Los eventos de su vida se habían transformado en una sucesión de vacíos; no le ocurría nada nuevo y lo aceptaba. Se había acostumbrado al devenir indolente de los acontecimientos.

Víctor Cáceres, soñador de voces, ahora perseguía largos silencios; quería escapar de la palabra, del sonido, de los sentimientos. Probablemente en el punto nulo de su vida se alojaba una esperanza exigua.

Había aceptado vivir con sus decepciones, vivir sin agregados, sin motivos, sin deudas con nadie y con nada. Con la mira sólo en el instante que vivía. A la mañana siguiente el teléfono sonó a muy temprana hora. Escuchó a la mujer decir: –"Víctor". Preguntó varias veces –¿quién habla?– sin obtener respuesta. El verbo anónimo pactaba con los acertijos del arrepentimiento.

La audacia de Alejandra se reducía a una palabra, no temía el choque con Víctor. Su verdadero miedo se dirigía hacia ella misma. Turbada por sus espectros, había perdido los engendros de su historia para concentrarse en su esencia de mujer. En el papel de Alejandra reclamaba la presencia de Víctor, pretendía renunciar a un pasado enredado y estéril, hundido en los laberintos de aflicciones maquinadas.

Elsa ya sabía la verdad respecto a su padre y quería verlo. De esas súplicas, Alejandra aprendió que las exigencias de los hijos son buenos pretextos para todo. Ella, que nunca requirió de excusas, caía en la trampa de las formalidades. Pensó en convocar una reunión y proponer un convenio para garantizar el bienestar de su hija. Al sincerarse con su conciencia, se rehusaba a utilizar esa maniobra para esconder un propósito personal.

La voz que un día escondida en el anonimato dijera una sola palabra para no ser descubierta, o, para ser medio descubierta, pidió a Víctor un nuevo encuentro. La ocasión se fijó para esa misma noche.

El tiempo de reproches estaba agotado, el de esperanzas, tal vez también. ¿Qué tiempo ocupaba ahora sus vidas?

El simple tiempo de vivir.

Víctor se quedó solo. Esperaba a Alejandra sin esperar nada. No pediría, no ofrecería; se dejaría llevar por las circunstancias como un cuerpo inerte.

Víctor Cáceres se había convertido en objeto por voluntad propia. Era una contradicción vital. Tal vez, la primera contradicción inerte.

Alejandra viajaba en un auto de alquiler tratando de no pensar en lo que pensaba. Todas sus intenciones eran traicionadas por su naturaleza, cuya sabiduría instintiva la seducía alejándola de las razones.

Descendió del auto y caminó hasta la puerta de la casa. Por unos minutos se quedó recargada sobre la pared y se dio cuenta de la sencillez de su arreglo; lucía casi natural, excepto por el disfraz con que ocultaba sus motivos. Tocó el botón.

Sonó el timbre. El objeto inerte sintió el palpitar acelerado de su corazón. Bajó las escaleras de prisa, atravesó la casa, cruzó el jardín y abrió la puerta.

La inercia perdió el dominio; la mujer disfrazada se quedó desnuda. Estaban ellos mismos.

Agitados, faltos de aire, no hablaron, no se dieron la mano: se comunicaron. Ella caminó apurada por la ruta que ya conocía, siguió sin detenerse hasta la sala. Él la siguió con lentitud, prometiéndose quietud, control y sensatez.

Al verla de pie le pidió que se pusiera cómoda. Enseguida le ofreció una copa de cognac para calmar los nervios. Ella repuso nerviosa que no estaba nerviosa. Él no dijo nada, le entregó una copa y rozaron sus dedos. Se acomodaron frente a frente separados por una mesa de centro.

Bebieron sin brindar y Víctor empezó a decir:

–Imagino que has venido para hablar de Elsa.

–Para ser sincera, eso es lo que me trajo aquí. Me interesa saber tu opinión. Estoy desconcertada.

Víctor llenó de nuevo las copas; ella la rechazó y enseguida la tomó para beberla.

Le he dicho la verdad, ahora sabe que eres su padre y desea verte. Por ella, es conveniente que mantengamos una relación cordial. Me refiero a que podríamos tratarnos como amigos lejanos.

–Cuenta conmigo para lo que sea necesario. Estoy de acuerdo con lo que tú decidas.

Alejandra se levantó un tanto desbalanceada por los efectos del alcohol: se preparó para retirarse y le dijo que no hacía falta que la acompañara. El insistió. Se dirigieron de prisa hasta la puerta.

–¿No prefieres que te lleve?

–No. Tomaré un taxi.

Víctor hizo dos ofrecimientos más. La mala suerte de los dos atrajo a un auto de alquiler que echó a perder la última oportunidad.

A media luz, sentado en un sofá de su sala, Víctor Cáceres bebía olvido en copa, se revelaba y deprimía, se buscaba a sí mismo, ignoraba que por ese medio llegaría al territorio de la nada. La prudencia y la inercia que tan bien lo caracterizaban antes, ahora lo llenaban de melancolía. Estaba en la encrucijada del desaliento frente a dos caminos: uno lo conducía a la suma de sus tristezas, el otro, a la rebeldía. Las tristezas oprimen, las rebeldías desesperan.

Alejandra, abatida por la conciencia de sus desacuerdos, deseaba recrearse en una esperanza; aceptaba el desafío de ilusionar su vida antes que abismarse contra ella.

Un objeto brillante sobre el sofá llamó la atención de Víctor, se trataba de una caja metálica que contenía medicinas. Un olvido de Alejandra.

El timbre de la casa sonó de nuevo evitando la fuga hacia el derrumbe. Víctor tomó la caja con medicinas y apresuró su paso hacia la puerta. Al ver a Alejandra parada en el dintel le dijo:

–Aquí están tus pastillas. Le entregó la caja.

–No me di cuenta que las había perdido.

–Pensé que habías venido por ellas.

–Pensaste mal. Respondió Alejandra con cinismo.

Víctor estaba a la vez asombrado y defensivo. Sabía que es más fácil engañarse a sí mismo que a los demás; conocía la naturaleza falaz con la que estaba construido; había jugado muchas veces al escondite con sus propias verdades.

–Dijiste que tenías prisa. Comentó Víctor con torpeza.

–La tengo.

Cuando el corazón entendió por él, Víctor compartió la urgencia.

Sin pretextos ni miramientos, Alejandra se escurrió hacia el interior. Entonces Víctor gritó amenazante:

–¡Si entras en la casa tendrás que quedarte a vivir en ella!

Alejandra se detuvo, miró a Víctor a los ojos. Reflexionó por un instante y caminando hacia adelante, decidió su simple tiempo de vivir.

Capítulo dieciocho

El mal se recrea en el desprecio por la vida

Al cabo de una semana de cambios y preparativos, el día señalado para efectuar la sesión espiritista había llegado. Eran las diez de la noche y todo estaba listo. La presencia de Alejandra añadió júbilo en una reunión donde se confundía la esperanza con la incertidumbre.

La llegada de Luis Martínez provocó un silencio expectante; primero saludó a media voz y luego estrechó las manos de los invitados; evitó preámbulos y pasó hasta el cuarto donde los trabajos se llevarían a cabo. Después de revisar el lugar dio el visto bueno y se acomodó en un sillón. Las sillas, dispuestas en círculo, formaban los límites de la cadena de fuerza. El médium empezó a respirar con profundidad para iniciar su ritual de desprendimiento. Los demás se tomaron de las manos.

La oscuridad total provocó incertidumbre y tensión. Después de veinte minutos dominaba un tedio relajado, nada ocurría; los rumores de los cuerpos mostraban impaciencia, incredulidad y decepción. Repentinamente, del exterior del cuarto, se escuchó el ruido brusco de la caída de un objeto; el grupo se inquietó ante la posibilidad de que alguien se hubiera infiltrado.

–Es conveniente que salgamos para ver que sucedió. Dijo Carrasco sin soltarse de las manos.

–Debemos esperar a que despierte Luis. Afirmó Cáceres atribulado.

El médium se movió y, con voz pastosa, dijo: "No puedo seguir, déjenme descansar".

–Mantengamos la calma –sugirió Alejandra.

En cuanto las condiciones del médiúm lo permitieron salieron apresurados, Carrasco empezó a explorar con cautela todas las áreas de la casa. Subió a la planta alta y revisó las recámaras. Inspeccionó varias veces los accesos hasta convencerse de que no había algún extraño. Aún no descartaba la posibilidad de que un intruso hubiera salido mientras sesionaban encerrados.

Capuano se dirigió a la sala. En su camino pisó una pequeña pieza de vidrio y, a la vez, notó que múltiples cristales salían de la parte posterior de un sofá. Junto al respaldo del mueble encontró un cuadro destrozado. Relacionó el hecho con el estruendo que los alarmó. Orgulloso por su descubrimiento llamó a sus compañeros para ponerlos al tanto.

El marco estaba destruido, por fortuna la pintura mostraba daños insignificantes. Víctor se agachó para recuperar el lienzo; lo extrajo con delicadeza y dejó al descubierto un cuerpo rectangular. Lo observó con detenimiento y al ver que se trataba de un objeto con forros negros, enmudeció. Lo cogió como si se tratara de algo delicado, limpió el polvo de la superficie y exclamó: –¡Amigos: aquí tengo la libreta negra!

La emoción se apoderó de ellos, Carrasco se la pidió de inmediato, quería tocarla, revisarla, asegurarse que se trataba del buscado documento.

Se acomodaron para analizar el texto. Las primeras páginas estaban en blanco. Juan repasó las hojas hasta llegar al principio del manuscrito. Captó de un vistazo el contenido y comprobó que contenía apuntes con nombres de personas, fechas y lugares.

Sus compañeros le urgieron a que leyera en voz alta. Juan, sin más rodeos, inició la tarea[1].

En esas hojas descubrieron un cúmulo de datos sobre la organización nazi, encontraron descripciones de objetivos, planes de acción, además de una lista de colaboradores y simpatizantes de la causa hitleriana.

Revisaron el contenido sin entender los códigos que hacían referencia a ciertos anexos y a otros documentos complementarios. El texto acabó abruptamente, alguien le había arrancado varias hojas. Hojearon con lentitud el resto del cuaderno deteniéndose en un título extraño seguido por veinte enunciados en cuyo encabezado se leía: *Las leyes del mal.*

Carrasco leyó cada uno de los incisos, mientras sus compañeros lo escuchaban asombrados. Al terminar la lectura Juan experimentó cierta repugnancia y dudó del hombre.

–Las dos últimas leyes son demoledoras, dijo Manuel.

---

[1] Un resúmen del contenido se encuentra en el apéndice.

–Conducen a la destrucción absoluta, no dejan lugar a la esperanza. Opinó Alejandra.

–Por lo visto la más grave lucha se da en el interior del hombre. Es en nosotros donde se inician y acaban las guerras. Ni el bien ni el mal podrán aprisionarse. Concluyó Víctor.

–Es necesario poner un punto final a este asunto. Dijo Juan hastiado.

–Tiene razón. ¿Qué vamos a hacer con la libreta?, preguntó Capuano.

–Solamente nosotros sabemos de su existencia. Lo más prudente es esconderla hasta que las circunstancias indiquen que debemos hacerla pública. Comentó Víctor.

–Amigos –empezó a decir Carrasco–, no hay que perdernos en conjeturas. Dejemos que las cosas sucedan. Es posible que los nazis causen muchos dolores de cabeza a la sociedad. Sin embargo, no importa lo que hagan, están condenados a fracasar.

–Recuerde que el demonio puede ejercer sus derechos. Instigó Capuano.

–Los hombres tenemos nuestra propia fórmula del infierno. No necesitamos del diablo. Respondió Carrasco contundente.

Siguieron de pie, como si la prisa por separarse los dominara. Víctor Cáceres alargó el momento y preguntó a Manuel sobre sus planes inmediatos.

–Mañana regresaré a Guadalajara para liquidar mis asuntos. Voy a dejar de viajar. Debo conformarme con lo que soy y lo que tengo. Me retiraré a Yucatán, donde espero que me visiten.

–Éste es el momento preciso para un brindis. Propuso Alejandra ante el inminente adiós.

Cáceres llevó las copas de vino. Los cuatro se quedaron de pie, tenían tanto por qué brindar, que no pudieron elegir.

–Hace poco, un viejo maestro –empezó a decir Carrasco–me dijo que nunca había guardado luto por los que murieron en la guerra; más bien, dijo que no había derramado una sola lágrima por los caídos.

Todos pensaron lo mismo, ellos tampoco habían honrado la memoria de tantos millones.

–¿Y qué sucedió? Intervino Capuano.

–No dijo nada más. Lo vi llorar por primera vez.

–Se acostumbra guardar un minuto de silencio a la memoria de quien se ha ido para siempre –dijo Capuano y continuó. –Si yo guardara un minuto por cada uno de los judíos que fueron asesinados en esa guerra ¿Saben cuánto callaría?

El grupo se mantuvo expectante.

–Once años y ciento cincuenta y dos días.

–No Capuano, –repuso Víctor –hay que guardar silencio por todos los que fueron masacrados.

–Tiene razón. ¿Saben de cuántos estamos hablando?

Todos negaron con la cabeza.

–¿Tienen una idea aproximada? Insistió Manuel.

–No. Respondieron al unísono.

–Por un capricho de mi mente, que se obstina en registrar los datos más inútiles, aún recuerdo la más funesta estadística de la historia. ¿Quieren escucharla?

Los amigos asintieron, preparándose para el sobrecogimiento.

Capuano carraspeó un par de veces y empezó a citar números:

–En los seis años que duró la Segunda Guerra Mundial perdieron la vida quince millones de combatientes. Veintinueve millones de civiles, mujeres, ancianos y niños fallecieron a consecuencia de los bombardeos. Once millones de hombres fueron exterminados en los campos de concentración. Treinta y cinco millones resultaron heridos con diferentes grados de invalidez. Veintiocho millones de seres perdieron su vivienda. Cinco millones de niños quedaron en el desamparo total. Catorce millones de seres fueron exilados. Con el costo de la guerra se hubiera podido obsequiar, a cada familia de Europa y Estados Unidos, una casa totalmente amueblada[2].

Después de su breve informe, Capuano tomó su pluma y empezó a garabatear una serie de cuentas. Al terminar dijo:

–Señores: la humanidad le debe a los cincuenta y cinco millones de muertos de esa guerra: "Ciento cinco años de silencio".

¿Qué comentario cabía? En ese breve lapso entendieron la más cruel de las metamorfosis, la conversión de un ser humano en un simple número. Esas personas perdieron sus nombres, sus historias, lo que eran, lo que pudieron ser. Todo quedó borrado, reducido a una cuantificación macabra.

A veces le toca al hombre interpretar lo que la historia calla, lo que su historia omite; en este caso, hundidos en el desterrado mundo de lo escondido y lo velado, compartieron la urgencia de reverenciar a los olvidados.

–¡Se imaginan! Dijo Alejandra a media voz.

–¿Qué? Preguntó Víctor.

–¡Qué callada estaría la tierra!

–¡Qué insoportable! Completó Carrasco.

–Entonces, brindemos en silencio para empezar a pagar nuestra deuda. Propuso Víctor.

---

[2] Referencia(13).

Chocaron las copas. Antes de que el cristal tocara sus labios, Carrasco los detuvo con brusquedad y dijo:

–¡No! Basta de silencios. Brindemos por las palabras, porque ellas son el mejor remedio contra el olvido.

Bebieron ese instante de sus vidas. Sintieron el viento helado que salía de sus cuerpos y dieron la bienvenida al nuevo tiempo que el acontecer incierto les proponía.

Antes de que cada quien tomara su camino, Alejandra los detuvo con una pregunta.

–Si alguno de esos asesinos se arrepintiera, desde el fondo de su alma, de todas sus fechorías: ¿Podría ser perdonado?

Después de una fugaz meditación, sólo uno dijo "sí".

Epílogo

Carta de Juan Carrasco

Queridos Elsa y Julio:

En 1991, la generación nacida en la mitad de siglo (ustedes), despide su juventud, experimenta nostalgia. Fuerza necesaria para abrazar un pasado que se asoma inalcanzable.

El recuerdo de la vivacidad perdida reclama músicas, comportamientos anacrónicos, vestimentas ridículas, añoranzas, todo se resiste al olvido. Olvido que vencerá.

Próximos al final del siglo la secta nazi no ha resurgido, sino que muestra su continuidad con nuevas caras. ¿Lograrán alcanzar de nuevo el poder? ¿Lo permitirá la humanidad? El mundo podrá combatirlo. Toca a Alemania acabar con él. Desdichado el pueblo vencido por su memoria, incapaz de sobreponerse a los vicios de su pasado. En el diario de Leonor Marcos descubrí "Las Veinte Leyes del Mal". Cada una refleja crueldad y realidad al mismo tiempo. Considero que otros deben conocerlas y meditar acerca de ellas. Las últimas dos sentencias me perecieron demoledoras; una identifica el origen genérico del mal y la otra aniquila toda esperanza. Opté por omitirlas y dejar que su imaginación e inteligencia las añadan. Los viejos sentimos como el cuerpo sufriente va convenciendo al "yo" de que debe morir; separarse. Antes de perecer lo olvidamos todo; nuestros conocimientos se van y con ellos nuestras emociones. La muerte en su proceso nos arrebata todo lo que somos. En los últimos momentos nos es difícil reconocer el mundo en que alguna vez vivímos. Los sentimientos se resisten pero son derrotados. Del lenguaje desaparecen todas las palabras menos una, la que se queda anclada al último segundo de la vida. Esa palabra que aparece en el punto extremo de la existencia, es el descubrimiento de la última verdad. Me temo que yo también me asiré a ella en mi momento.

Este año, mi amigo, Víctor Cáceres murió.

Desde la perdida de Alejandra, hace unos meses, pertenecía al mundo de los fantasmas. Vivieron juntos sin más atadura que su querer, su vida no fue fácil, persiguieron demasiados significados; se complicaron con todos los cuestionamientos que les fue posible. Sin embargo, cuando Víctor logró librarse de las cadenas de la realidad, se encontró en un mundo exento de sí mismo y quedó reducido al tamaño de sus ilusiones.

Antes de morir me confesó que no tenía miedo, que nunca amó a otra mujer como a Alejandra y que yo fui su único amigo.

Como médico escuché un sinfín de confidencias y descubrí en ellas su poder para tranquilizar y acallar los anhelos perdidos. Lo que nunca supieron aquellos que me confesaron sus penas, es que, después de oírlos y ayudarles a mitigar su dolor, yo, el confesor, terminaba en la desesperanza.

La edad me hizo débil y desanudó las emociones contenidas en mi garganta. Me sentí culpable por no haber convivido más tiempo con Víctor.

Hoy, que no volveré a verlo, quisiera conversar con él sólo una vez más. Me gustaría hablar y hablar, una larga noche hasta el amanecer.

Juan Carrasco

Apéndice

Contenido literal de la libreta negra 1942

"Existen 30 millones de germanos dispersos en el mundo: la estrategia política del Reich consiste en incluirlos como parte de la fuerza económica e informativa del régimen alemán. Se les otorga la doble nacionalidad, con la denominación: "*Auslandsdeutsche*, alemanes extranjeros(7, q.)[1]". Los que aceptan dicha denominación se ven beneficiados en sus actividades económicas y reciben honores personales. La hermandad, se basa en las ideas de Fichte sobre la unidad racial germánica, la cual establece un nexo indisoluble y obligatorio con Alemania.

(9, q) Desde 1937 los nazis almacenaron pertrechos militares con equipo y municiones en Guatemala. La primer fase de sus operaciones tuvo por objeto apoyar a Cedillo en el golpe de estado contra Cárdenas[2], a quien los nazis consideran un peligro por sus ideas independientes y socialistas. Las armas se proporcionaron al general opositor, antes de mayo de 1938, a través del

[1] Los paréntesis son parte del manuscrito.
[2] Se refiere a este evento en la historia de México. Referencia (8).

Barón Von Merk, amigo de Cedillo y agente de la Gestapo radicado en México. Después del fracaso de la operación, la frontera sur sirve como foco de actividad nazi, desde ahí se envían, con ayuda de algunos alemanes radicados en Chiapas, (dueños de cafetales en su mayoría), propaganda, equipos de espionaje, radiocomunicación y armas, (algunos nombres se pueden localizar en el anexo II). Se asevera que *todo lo necesario para el bienestar del pueblo alemán debe considerarse legal.* Compran tierras y empresas, para preparar la futura creación de asentamientos alemanes en Suramérica, principalmente en Brasil, Perú, Chile, Paraguay, Argentina (40,q).

Se planean presentaciones de dobles de Hitler, como lo hace el doctor Heinz Ott, hábil imitador del Führer, que se dedica a estimular una rápida filiación a su causa en Latinoamérica(53,q).

Interesa en especial a los japoneses las costas de México, apreciadas como el mejor sitio para el desembarco (Comunicación cifrada en anexo Ia.71,q).

Bajo supervisión y asesoría de las embajadas alemanas, se organizan grupos paramilitares, que se denominan según su ubicación como "camisas": en Brasil *Verdes, Doradas* en México, *Blancas* en Cuba, *Pardas* en Argentina, todos ellos devotos del nacionalismo y el racismo. Comparten un odio descomunal a los comunistas y a los americanos.

La infiltración de las fuerzas nazis en Canadá, constituye en número y poder de las más importantes. Han considerado organizar un gobierno en esa zona, apoyados por simpatizantes regionales. Pretenden formar una alianza con extremistas americanos, y revertir el curso de la guerra; convertir a los comunistas en el enemigo en lugar de los nazis. (Existen elementos dentro de diferentes ejércitos, que trabajan con esa idea). (Cita cifrada en Ib).

En México, se aprovechan de la existencia de legiones de defensa cívica y religiosa, para crear el ambiente propicio de odio a los judíos, los americanos y los ingleses. Exaltan el nacionalismo y apoyan a Hitler, estos grupos se distribuyen en toda América, inclusive en los Estados Unidos. El mayor número se localiza en Argentina, Chile, y Brasil.

Existen más de diez grupos políticos y movimientos sociales, (Anexo Ic), que reciben fondos de los nazis, además de apoyo logístico para desestabilizar a gobiernos y lograr posiciones en el poder (82,q).

Siguen vigentes los conceptos que sobre México vertieron los nazis: Colin Ross y Joseph Maria Frank[3], publicados por ellos en los libros: *"Los Balcanes de América" y "México es distinto"*, respectivamente, donde concluyen que México es un país incapaz de gobernarse a sí mismo, hundido en el fracaso político y económico, dominado por ineficiencia y corrupción. Hitler ha investido a Alemania del deber de preservar las riquezas que los mexicanos no pueden hacer uso, por los impedimentos de su mestizaje[4] (142,q).

Cito a Colin Ross en Los Balcanes de América:

"Para la liberación de México del caos ininterrumpido de revoluciones, contrarrevoluciones, pronunciamientos y sublevaciones, no veo más que dos posibilidades: o se restaura el dominio de los blancos o se resucita el Imperio Azteca".

Hay en total una colonia de seis mil almas de orígen alemán en México. Su actividad se concentra principalmente en el café y las maderas preciosas en Chiapas; en las ciudades participan en el comercio de ferretería y medicinas. Pocos colaboran con el plan nazi, de hecho, muchos se ven forzados por depender de las relaciones económicas con Alemania.

A México se le clasifica como uno de los países más ricos del continente americano, su *"estado semicivilizado"* lo hace más fácil de explotar que cualquier otro país de América (citado literal anexo Id). Además, México es la puerta de entrada a los Estados Unidos.

El jefe de la filial mexicana del partido nazi se llama Arthur Dietrich, residente en México desde hace muchos años y cuya habilidad le ha hecho penetrar en muchos medios periodísticos. Crearon la revista *"Timón"*, publicación francamente pronazi, antisemita y antialiada, dirigida y editorializa por José Vasconcelos.

Dietrich, antes de su puesto realizó actividades ilegales, e incluso militó en las izquierdas. Probablemente en plan de informador. El partido nazi mexicano no cuenta con más de 400 afiliados. Se reúnen en la calle de Viena 17 en el D.F. cuentan con miembros en diferentes organizaciones, como: Unión de Juventudes Hitlerianas, Comunidad Popular Alemana, Liga Fitche, y representantes en la Cámara de Comercio Alemana.

Por su parte, la colonia italiana apoyó la publicación del Dr. Atl, articulista y pintor reconocido, para que justificara el fascismo. Los alcances de su propaganda son limitados.

Arthur Dietrich, después de lograr el control de ciertos miembros de la colonia alemana, trató de influir en la política interior de México y se acercó a la prensa nacional, logró arreglos en metálico, aportadas por empresarios alemanes, para que se publiquen artículos en favor de Hitler.

Referencia:
En 1935 la agencia Transocean abrió una filial en México, distribuye noticias y artículos favorables a los nazis. Sus actividades combinan el espionaje y la propaganda. En 1936, se conocía a Arthur Dietrich como el pequeño dictador de la colonia alemana, fundó el periódico "la noticia", de escasa y fugaz circulación.

Las publicaciones de propaganda nazi, se editan en en la calle de Regina 85, en el centro de la ciudad, imprenta propiedad de R. Petark.

En la colonia Condesa existe la "**casa parda**", que aparenta ser el consultorio de un médico; ahí se celebran entrevistas secretas con intelectuales destacados. Muchos de ellos pertenecen a la "Acción Revolucionaria Mexicanista", (camisas doradas).

Frente vanguardia nacionalista, (México): grupo fascista financiado por nazis, activa el odio hacia países aliados con los que México ha tenido diferencias y rompimientos, como los Estados Unidos e Inglaterra.

Otro grupo que procede de las mismas raíces, se denomina Partido de Salvación Publica, (citado en anexo Id), del cual sobresale un agitador profesional llamado Adolfo León (referencia III).

Lista parcial de un grupo de alemanes que programan las actividades de los nazis para América Latina:

Tte. Gral. Von Boetticher agregado militar de Washington
Doctor Erich Kraske ministro de Alemania en Guatemala
Estephan Tauchnitz (radica en México).

Karl Von der Leipen, jefe de propaganda alemán en América Central.

Fritz Neimerling, capitán de fragata, plantador de café en México.

Arthur Dietrich jefe de propaganda, expulsado del país, regresó bajo identidad falsa. **PROBABLE CABEZA DE LA RED AZUL.**

Barón Von Watzdorf, representante del Banco del Reich y agente comercial para México.

Los mencionados se reúnen en un lugar de la frontera sur, con el objeto de concentrar armas y preparar sitios estratégicos para asentar a los nazis después de la guerra.

Existe un grupo dividido de antirrevolucionarios que comba-
ten al gobierno, unos tratan de constituirlo como partido político
y otros como un movimiento social de redención. Se originan de
las ligas secretas llamadas de la "O" y de la "U".

Afirman que la democracia y el liberalismo conducen directa
y legalmente al triunfo del marxismo, (que consideran una producción judía para dominar al mundo). Acuñan un neologismo.
Su lema es: "sangre, fe, victoria".

Muchos de ellos consideran a Hitler un enviado del cielo para
terminar con Rusia y los judíos, a quienes acusan de todos los
males de la humanidad.

Defienden a Agustín de Itúrbide, artífice del estado religioso
para México. Sus divergencias internas les impiden adquirir
fuerza política, aunque han logrado levantar a 300,000 simpatizantes en el país.

El gobierno asume una actitud claramente antagónica con este
grupo, cuyos extremos preocupan a los aliados.

Secciones de esta Unión Nacional, están relacionados, estre-
chamente con la Falange Española y el nazismo, promulgan la
hispanidad y el nacionalismo.

La Unión Nacional es un movimiento totalitario, inspirado en
las estructuras nazi fascistas y asesorado por miembros de la
Falange Española. Nació en 1937 en mayo 27 en León, Guanajuato.

La unión trabaja con el concepto de célula, tienen contactos
con simpatizantes en varios niveles. Oficinas en Venustiano
Carranza 69, D.F.

Colaboradores identificados como pronazis:

Hellmuth Oskar Schreiter, agente nazi radicado en
Guanajuato, relacionado con algunos sinarquistas; informa que
los Trueba (Sinarquistas) son progermanos. Este sujeto pasa sus
datos a través de la casa BeickFelix de esta ciudad.

Miguel Ordorica, director y gerente de Ultimas Noticias de
Excelsior.

José Vasconcelos, Intelectual y político.

Paul Reimers, contacto en Zacatecas.

Fritz Schuarz contacto en San Luis Potosí.

Carlos Goerner, conocido nazi, con domicilio en Revillagigedo 4.

Contactos de la gestapo:

Otto Hillbert en Guanajuato junto con Schriter.

Alejandro Holste, radica en el D.F.

Doctor Otto Ritter de la farmacia principal, en esta ciudad.

Wilhelm Pierdeekamp, consejero de la falange en México.

NOTA: El contenido de esta libreta está respaldada con documentos históricos y referencias bibliográficas.

Bibliografía

1. Abascal Salvador, *Mis recuerdos*. Ed., Tradición México, 1980.
2. Actas del Instituto Mexicano de Investigaciones Psíquicas A. C.
3. Algazi A., Dr., *En contacto con el más allá*. Editores Asociados S. A., México 1975.
4. Aragón Leyva Agustin, *La vida tormentosa y romántica del General Adolfo León Ossorio y Agüero*. Ed., Costa AMIC ed. México, 1962.
5. ATL Dr., *Italia su defensa en México*. Ed. de la Colonia Italiana, 1936.
6. Attache Naval de la Embajada de Estados Unidos en México, reproducido en REF. Abascal.
7. Ayala Ponce J., *Diccionario masónico y esotérico*. Ed. del autor S/F.
8. Bernal de León, *La quinta columna en el Continente Americano*. Ediciones Culturales Mexicanas, México, 1939.
9. Borrego E. Salvador, *Derrota mundial*. Ed. del autor México, 1975.
10. De Heredia Carlos María, S. J., *Los fraudes espiritistas y los fenómenos metapsíquicos*. Ed. Difusión, Buenos Aires 1961.
11. Glantz Margo, *Las genealogías*, (lecturas mexicanas 82). S.E.P., México, 1986.
12. Katz Friedrich Katz, Jurgen Hell, Klaus Kannapin, Úrsula Schlenther, *Hitler sobre América Latina*. Ed. Fondo de Cultura Popular S. de R. L. México, 1968.
13. Kunhardt B. Philip Jr. Editor (LIFE) World War II. Little, Brown and company 1990.
14. Lombardo Toledano V., *Destrucción total del régimen Nazi*

Fascista. En *El libro negro de terror nazi en europa,* libro patrocinado por el General de División don Manuel Ávila Camacho. Ed. El libro libre México, 1943.

15. Mena Brito, Bernardino. Hablando claro. *Mis trabajos por el Partido Nacional de Salvación Pública.* Ed. del autor. México, 1939.

16. Ribadeau Dumas, Francois, *El diario secreto de los brujos de Hitler.* Ed. M. Roca. México 1980.

17 Zărate Miguel, Gpe., *México y la diáspora Judía,* Instituto Nacional de Antropología e Historia, Colección Divulgación México, 1986.

(18) Hitler A., *Conversaciones sobre la Guerra y la Paz (1941-1942),* recogidas por orden de Martín Borman. Editora Zarcos S. A., México 1955.

Fuentes Genéricas:

Revista Hoy (1930-1950).
Revista de Revistas (1930-1950).
Excelsior (1930-1950).
Últimas noticias (1930-1950).
Timón (1941-1942).
Enciclopedia Judaica Castellana.

LAS LEYES DEL MAL, quedó totalmente impreso y encuadernado el 29 de marzo de 1996. La labor se realizó en los talleres del Centro Cultural EDAMEX, Heriberto Frías 1104, Col. del Valle, México, D. F., 03100. Se hicieron 2,000 ejemplares.